Spanish

FALL RIVER PRESS

New York

FALL RIVER PRESS

New York

An Imprint of Sterling Publishing Co., Inc.
1166 Avenue of the Americas
New York, NY 10036

This 2015 edition published by Fall River Press.

ISBN 978-1-4351-6059-0

For information about custom editions, special sales, and premium
and corporate purchases, please contact Sterling Special Sales
at 800-805-5489 or specialsales@sterlingpublishing.com.

Manufactured in Canada

4 6 8 10 9 7 5

www.sterlingpublishing.com

Contents

Starting from *Buenos Días*

1

Greetings

Good morning.
Buenos días.
BWE-nos DEE-as.

Good afternoon.
Buenas tardes.
BWE-nas TAR-des.

Good evening.
Buenas tardes. / Buenas noches.
BWE-nas TAR-des. / BWE-nas NO-ches.

Hello. / Hi. / Hey.
Hola.
O-la.

What's up?
¿Qué pasa?
¿ke PA-sa?

Nothing much.
Nada.
NA-da.

How are you? / How's it going?
¿Cómo estás? / ¿Qué tal?
¿KO-mo es-TAS? / ¿ke tal?

I'm …
Estoy …
es-TOY …

> **great.**
> muy bien.
> *mooy byen.*

> **well. / fine.**
> bien.
> *byen.*

> **okay.**
> así así.
> *a-SEE a-SEE.*

> **not so great.**
> no muy bien.
> *no mooy byen.*

> **very tired.**
> muy cansado/a.
> *mooy kan-SA-do/a.*

> **hungover.**
> con resaca.
> *kon re-SA-ka.*

> **broke—can I borrow some [pesos]?**
> pelado/a—¿Puedes prestarme unos [pesos]?
> *pe-LA-do/a—¿PWE-des pre-STAR-me OO-nos [PE-sos]?*

How is your family?
¿Cómo está tu familia?
¿KO-mo es-TA too fa-MEE-lya?

How are your wife / husband and kids?
¿Cómo están tu esposa / marido y tus hijos?
¿KO-mo es-TAN too e-SPO-sa / ma-REE-do ee toos EE-hos?

Great, thanks. And you?
Muy bien, gracias. ¿Y tú?
mooy byen, GRA-syas. ¿ee too?

Goodbyes

Goodbye.
Adiós.
a-DYOS.

Bye.
Adiós. / Chao.
a-DYOS. / chow.

So long. / Take care.
Hasta la vista. / Cuídate.
A-sta la VEE-sta. / KWEE-da-te.

See you soon.
Hasta pronto.
A-sta PRON-to.

See you later.
Hasta luego.
A-sta LWE-go.

See you in the morning.
Hasta mañana.
A-sta ma-NYA-na.

Have ...
Que tengas ...
ke TEN-gas ...

a nice day.
un buen día.
oon bwen DEE-a.

a nice life.
una buena vida.
OO-na BWE-na VEE-da.

<hr/>

Good night.
Buenas noches.
BWE-nas NO-ches.

Sleep well.
Duerme bien.
DWER-me byen.

Sweet dreams.
Que sueñes con los angelitos.
ke SWE-nyes kon los an-he-LEE-tos.

Introductions

What's your name?
¿Cómo te llamas?
¿KO-mo te YA-mas?

My name is _____.
Me llamo _____.
me YA-mo _____.

My friends call me _____.
Mis amigos me llaman _____.
mees a-MEE-gos me YA-man _____.

Pleased to meet you.
Mucho gusto.
MOO-cho GOO-sto.

I've heard so much about you.
Me han hablado mucho de ti.
me an a-BLA-do MOO-cho de tee.

It was nice to meet you.
Fue un placer conocerte.
fwe oon pla-SER ko-no-SER-te.

I love your shoes.
Me encantan tus zapatos.
me en-KAN-tan toos sa-PA-tos.

I'd like you to meet _____.
Quiero presentarte a _____.
KYE-ro pre-sen-TAR-te a _____.

He's / she's my friend.
Es mi amigo/a.
es mee a-MEE-go.

He's / she's from _____.
Es de _____.
es de _____.

He's / she's a friend of _____.
Es un(a) amigo/a de_____.
es oon(a) a-MEE-go/a de _____.

He's / she's in town for _____ days.
Está aquí por _____ días.
es-TA a-KEE por _____ DEE-as.

Do you speak English?
¿Hablas inglés?
¿A-blas een-GLES?

Your English is great!
¡Hablas inglés muy bien!
¡A-blas een-GLES mooy byen!

I speak only a little [Spanish].
Hablo poco [español].
A-blo PO-co [es-pa-NYOL].

Getting Help

Can you help me, please?
¿Puedes ayudarme, por favor?
¿PWE-des a-yoo-DAR-me, por fa-VOR?

Can you do me a favor?
¿Puedes hacerme un favor?
¿PWE-des a-SER-me oon fa-VOR?

Can you spare some change?
¿Puedes prestarme unas monedas?
¿PWE-des pre-STAR-me oo-nas mo-NE-das?

Would you mind ...
¿Te molestaría ...
¿te mo-le-sta-REE-a ...

> **watching my bag?**
> vigilar mi bolsa?
> *vee-hee-LAR mee BOL-sa?*

> **saving my seat?**
> guardar mi asiento?
> *gwar-DAR mee a-SYEN-to?*

> **spreading this suntan lotion on my back?**
> ponerme este bronceador en la espalda?
> *po-NER-me ES-te bron-sya-DOR en la e-SPAL-da?*

Pleasantries

Thank you.
Gracias.
GRA-syas.

I really appreciate it.
Te lo agradezco mucho.
te lo a-gra-DES-ko MOO-cho.

You're welcome.
De nada.
de NA-da.

Don't mention it.
No hay de que.
no ai de ke.

Excuse me.
Perdón. / Permiso.
per-DON. / per-MEE-so.

Sorry.
Lo siento.
lo SYEN-to.

Can you ever forgive me?
¿Me podrás perdonar algún día?
¿me po-DRAS per-do-NAR al-GOON DEE-a?

Asking

who?	¿quién?	¿kyen?
what?	¿qué?	¿ke?
when?	¿cuándo?	¿KWAN-do?
where?	¿dónde?	¿DON-de?
why?	¿por qué?	¿por ke?
which?	¿cuál? / ¿qué?	¿kwal? / ¿ke?
how?	¿cómo?	¿KO-mo?
how much?	¿cuánto?	¿KWAN-to?
how many?	¿cuántos?	¿KWAN-tos?

Answering

yes	sí	*see*
no	no	*no*
maybe	tal vez	*tal ves*

Numbers

0	zero	*SE-ro*
1	uno	*OO-no*
2	dos	*dos*
3	tres	*tres*
4	cuatro	*KWA-tro*
5	cinco	*SEEN-ko*
6	seis	*seyss*
7	siete	*SYET-e*
8	ocho	*O-cho*
9	nueve	*NWE-ve*
10	diez	*dyess*
11	once	*ON-se*
12	doce	*DO-se*
13	trece	*TRE-se*
14	catorce	*ka-TOR-se*
15	quince	*KEEN-se*
16	dieciséis	*dyess-ee-SEYSS*
17	diecisiete	*dyess-ee-SYET-e*

18	dieciocho	*dyess-ee-O-cho*
19	diecinueve	*dyess-ee-NWE-ve*
20	veinte	*VEYN-te*
21	veintiuno	*veyn-tee-OO-no*
22	veintidós	*veyn-tee-DOS*
30	treinta	*TREYN-ta*
40	cuarenta	*kwa-REN-ta*
50	cincuenta	*seen-KWEN-ta*
60	sesenta	*se-SEN-ta*
70	setenta	*se-TEN-ta*
80	ochenta	*o-CHEN-ta*
90	noventa	*no-VEN-ta*
100	cien	*syen*
200	doscientos	*do-SYEN-tos*
500	quinientos	*keen-YEN-tos*
1,000	mil	*meel*
100,000	cien mil	*syen meel*
1,000,000	un millón	*oon mee-YON*
first	primero	*pree-ME-ro*
second	segundo	*se-GOON-do*
third	tercero	*ter-SE-ro*
fourth	cuarto	*KWAR-to*
fifth	quinto	*KEEN-to*
sixth	sexto	*SEKS-to*
seventh	séptimo	*SEP-tee-mo*
eighth	octavo	*ok-TA-vo*

ninth	noveno	*no-VE-no*
tenth	décimo	*DE-see-mo*
one-half / a half	un medio / la mitad	*oon ME-dyo / la mee-TAD*
one-third / a third	un tercio	*oon TER-syo*
one-fourth / a quarter	un cuarto	*oon KWAR-to*

How old are you?
¿Cuántos años tienes?
¿KWAN-tos A-nyos TYEN-es?

I'm [23] years old.
Tengo [veintitres] años.
TEN-go [veyn-tee-TRES] A-nyos.

How much does this cost?
¿Cuánto cuesta?
¿KWAN-to KWE-sta?

It costs [27] pesos.
Cuesta [veintisiete] pesos.
KWE-sta [veyn-tee-SYET-e] PE-sos.

Colors

white	blanco	*BLAN-ko*
pink	rosado	*ro-SA-do*
purple	morado	*mo-RA-do*
red	rojo	*RO-ho*
orange	anaranjado	*a-na-ran-HA-do*
yellow	amarillo	*a-ma-REE-yo*

green	verde	*VER-de*
blue	azul	*a-SOOL*
brown	marrón	*ma-RON*
gray	gris	*grees*
black	negro	*NE-gro*

Months and Seasons

January	enero	*e-NE-ro*
February	febrero	*fe-BRE-ro*
March	marzo	*MAR-so*
April	abril	*a-BREEL*
May	mayo	*MAI-o*
June	junio	*HOON-yo*
July	julio	*HOOL-yo*
August	agosto	*a-GO-sto*
September	septiembre	*sep-TYEM-bre*
October	octubre	*ok-TOO-bre*
November	noviembre	*no-VYEM-bre*
December	diciembre	*dee-SYEM-bre*

spring	primavera	*pree-ma-VE-ra*
summer	verano	*ve-RA-no*
fall / autumn	otoño	*o-TO-nyo*
winter	invierno	*een-VYER-no*

[two] months ago
hace [dos] meses
A-se [dos] ME-ses

last month
el mes pasado
el mes pa-SA-do

this month
este mes
E-ste mes

next month
el mes que viene
el mes ke VYEN-e

in [two] months
en [dos] meses
en [dos] ME-ses

[two] years ago
hace [dos] años
A-se [dos] A-nyos

last year
el año pasado
el A-nyo pa-SA-do

this year
este año
E-ste A-nyo

next year
el año que viene
el A-nyo ke VYEN-e

in [two] years
en [dos] años
en [dos] A-nyos

Days and Weeks

Monday	lunes	*LOO-nes*
Tuesday	martes	*MAR-tes*
Wednesday	miércoles	*MYER-ko-les*
Thursday	jueves	*WE-ves*
Friday	viernes	*VYER-nes*
Saturday	sábado	*SA-ba-do*
Sunday	domingo	*do-MEEN-go*

yesterday
ayer
ai-ER

today
hoy
oy

tomorrow
mañana
ma-NYA-na

[three] days ago
hace [tres] días
A-se [tres] DEE-as

the day before yesterday
anteayer
an-te-ai-ER

the day after tomorrow
pasado mañana
pa-SA-do ma-NYA-na

in [three] days
en [tres] días
en [tres] DEE-as

weekend
fin de semana
feen de se-MA-na

last [Monday]
el [lunes] pasado
el [LOO-nes] pa-SA-do

this [Monday]
este [lunes]
E-ste [LOO-nes]

next [Monday]
el [lunes] que viene
el [LOO-nes] ke VYEN-e

~~~~~~~~~~~~~~~~~~~~~~~~~~~~~~~~~~~~~~~

What day of the week is it?
¿Qué día es?
¿ke DEE-a es?

What's today's date?
¿Cuál es la fecha de hoy?
¿kwal es la FE-cha de oy?

It's [September 16th].
Es el [dieciséis de septiembre].
es el [dyess-ee-SEYSS de sep-TYEM-bre].

Today is the [16th].
Hoy es el [dieciséis].
oy es el [dyess-ee-SEYSS].

[two] weeks ago
hace [dos] semanas
A-se [dos] se-MA-nas

last week
la semana pasada
la se-MA-na pa-SA-da

this week
esta semana
E-sta se-MA-na

next week
la semana que viene
la se-MA-na ke VYEN-e

in [two] weeks
en [dos] semanas
en [dos] se-MA-nas

Telling Time

Excuse me. What time is it?
Perdón. ¿Qué hora es?
per-DON. ¿ke O-ra es?

It's ...
Son las ...
son las ...

> **9:00 [in the morning].**
> nueve [de la mañana].
> *NWE-ve [de la ma-NYA-na].*

> **3:00 [in the afternoon].**
> tres [de la tarde].
> *tres [de la TAR-de].*

> **7:00 [in the evening].**
> siete [de la tarde].
> *SYET-e [de la TAR-de].*

> **10:00 [at night].**
> diez [de la noche].
> *dyess [de la NO-che].*

2:00 [in the morning].
dos [de la madrugada].
dos [de la ma-droo-GA-da].

4:00.
cuatro.
KWA-tro.

4:10.
cuatro y diez.
KWA-tro ee dyess.

4:15 (quarter past 4).
cuatro y cuarto.
KWA-tro ee KWAR-to.

4:20.
cuatro y veinte.
KWA-tro ee VEN-te.

4:30 (half past 4).
cuatro y media.
KWA-tro ee ME-dya.

4:45 (quarter to 5).
cinco menos cuarto.
SEEN-ko ME-nos KWAR-to.

4:50 (ten to 5).
cinco menos diez.
SEEN-ko ME-nos dyess.

It's ...
Es ...
es ...

noon.
mediodía.
me-dyo-DEE-a.

midnight.
medianoche.
me-dya-NO-che.

morning.
mañana.
ma-NYA-na.

day.
día.
DEE-a.

afternoon.
tarde.
TAR-de.

evening.
tarde.
TAR-de.

night.
noche.
NO-che.

~~~~~~

two nights ago.
hace dos noches.
A-se dos NO-ches.

last night .
anoche.
a-NO-che.

tonight.
esta noche.
ES-ta NO-che.

tomorrow night.
mañana por la noche.
ma-NYA-na por la NO-che.

the morning after.
la mañana después.
la ma-NYA-na de-SPWES.

How long will it take?
¿Cuánto tardará?
¿KWAN-to tar-da-RA?

An hour.
Una hora.
oo-na O-ra.

Two hours.
Dos horas.
dos O-ras.

Half an hour.
Media hora.
ME-dya O-ra.

[Ten] minutes.
[Diez] minutos.
[dyess] mee-NOO-tos.

before
antes
AN-tes

after
después
de-SPWES

during
mientras
MYEN-tras

[two] hours ago
hace [dos] horas
A-se [dos] O-ras

in [two] hours
en [dos] horas
en [dos] O-ras

[two] hours later
[dos] horas más tarde
[dos] O-ras mas TAR-de

[two] hours earlier
[dos] horas más temprano
[dos] O-ras mas tem-PRA-no

See you ...
Nos vemos ...
nos VE-mos ...

> **tomorrow morning.**
> mañana por la mañana.
> *ma-NYA-na por la ma-NYA-na.*
>
> **[Tuesday] night.**
> [el martes] por la noche.
> *[el MAR-tes] por la NO-che.*

---

every day
todos los días
TO-dos los DEE-as

forever
para siempre
pa-ra SYEM-pre

always
siempre
SYEM-pre

sometimes
a veces
a VE-ses

never
nunca
NOON-ka

Tickets

I'd like a ... ticket.
Quisiera un boleto.
kee-SYER-a oon bo-LE-to.

> **one-way**
> de ida
> *de EE-da*

> **round-trip**
> de ida y vuelta
> *de EE-da ee VWEL-ta*

> **student**
> de estudiante
> *de e-stoo-DYAN-te*

> **cheap**
> barato
> *ba-RA-to*

> **economy / coach class**
> de clase turista
> *de KLA-se too-REE-sta*

> **business class**
> de clase preferente
> *de KLA-se pre-fe-REN-te*

> **first-class**
> de primera clase
> *de pree-ME-ra KLA-se*

ticket counter
taquilla
ta-KEE-ya

discount
descuento
des-KWEN-to

I'd like a one-way ticket to [Buenos Aires], please.
Quisiera un boleto de ida a [Buenos Aires], por favor.
kee-SYER-a oon bo-LE-to de E-da a [BWE-nos AI-res], por fa-VOR.

I need to ...
Necesito ...
ne-se-SEE-to ...

change my ticket.
cambiar mi boleto.
kam-BYAR mee bo-LE-to.

return my ticket.
devolver mi boleto.
de-vol-VER mee bo-LE-to.

I lost my ticket.
Se me perdió el boleto.
se me per-DYO el bo-LE-to.

I demand a refund.
Exijo una devolución.
e-KSEE-ho oo-na de-vo-loo-SYON.

Making Reservations

I'm staying ...
Me quedo ...
me KE-do ...

in a hotel.
en un hotel.
en oon o-TEL.

at an inn.
en una hostería.
en oo-na o-ste-REE-a.

at a bed-and-breakfast.
en una pensión.
en oo-na pen-SYON.

at a hostel.
en un hostal.
en oon o-STAL.

at a campsite.
en un campamento.
en oon cam-pa-MEN-to.

by the beach.
al lado de la playa.
al LA-do de la PLAI-a.

with a friend.
con un amigo/a.
kon oon a-MEE-go/a

with you.
contigo.
kon-TEE-go.

I'd like to make reservation ...
Quisiera hacer una reservación ...
kee-SYER-a a-SER oo-na re-ser-va-SYON ...

for one night.
para una noche.
pa-ra oo-na NO-che.

for two nights.
para dos noches.
pa-ra dos NO-ches.

for three nights.
para tres noches.
pa-ra tres NO-ches.

for a week.
para una semana.
pa-ra oo-na se-MA-na.

for one person.
para una persona.
pa-ra oo-na per-SO-na.

for two people.
para dos personas.
pa-ra dos per-SO-nas.

for two girls.
para dos chicas.
pa-ra dos CHEE-kas.

for two guys.
para dos chicos.
pa-ra dos CHEE-kos.

for a couple.
para una pareja.
pa-ra oo-na pa-RE-ha.

Do you take credit cards?
¿Aceptan tarjetas de crédito?
¿a-SEP-tan tar-HE-tas de KRE-dee-to?

~~~~~~

How much is ...
¿Cuánto es ...
¿KWAN-to es ...

> **a room ...**
> una habitación ...
> *oo-na a-bee-ta-SYON ...*
>
> **a single room ...**
> una habitación individual ...
> *oo-na a-bee-ta-SYON een-dee-vee-DWAL ...*
>
> **a double room ...**
> una habitación doble ...
> *oo-na a-bee-ta-SYON DO-ble ...*
>
> > **with a shower?**
> > con ducha?
> > *kon DOO-cha?*
> >
> > **with a bath?**
> > con baño?
> > *kon BA-nyo?*
> >
> > **with a sink?**
> > con lavamanos?
> > *kon la-va-MA-nos?*
> >
> > **with a toilet?**
> > con inodoro?
> > *kon ee-no-DO-ro?*
> >
> > **with a TV?**
> > con televisor?
> > *kon te-le-vee-SOR?*

2

GETTING THERE

with a refrigerator?
con nevera?
kon ne-VE-ra?

with air-conditioning?
con aire acondicionado?
kon AI-re a-kon-dee-syo-NA-do?

a private room?
una habitación privada?
oo-na a-bee-ta-SYON pree-VA-da?

a shared room?
una habitación compartida?
oo-na a-bee-ta-SYON kom-par-TEE-da?

a bunk bed?
una litera?
oo-na lee-TE-ra?

an extra bed?
una cama adicional?
oo-na KA-ma a-dee-syo-NAL?

male	masculino	*mas-koo-LEE-no*
female	feminino	*fe-me-NEE-no*
single-sex	sólo para hombres / mujeres	*SO-lo pa-ra OM-bres / moo-HE-res*
co-ed	mixto	*MEEKS-to*

Do you provide ...
¿Proveen ...
¿pro-VE-en ...

bedding?
ropa de cama?
RO-pa de KA-ma?

sheets?
sábanas?
SA-ba-nas?

towels?
toallas?
TWAI-as?

toiletries?
artículos de tocador?
ar-TEE-koo-los de to-ca-DOR?

a minibar?
minibar?
MEE-nee-bar?

Is there ...
¿Hay ...
¿ai ...

a pool?	piscina?	*pee-SEE-na?*
a gym?	gimnasio?	*heem-NAS-yo?*
a kitchen?	cocina?	*ko-SEE-na?*

What time is ...
¿Cuál es la hora de ...
¿kwal es la O-ra de ...

check-in?	entrada?	*en-TRA-da?*
checkout?	salida?	*sa-LEE-da?*

Can I leave my luggage for the day?
¿Puedo dejar mi equipaje por el día?
¿PWE-do de-HAR mee e-kee-PA-he por el DEE-a?

Do I need my own lock?
¿Necesito mi propia cerradura?
¿ne-se-SEE-to mee PRO-prya se-ra-DOO-ra?

~~~~~~~~~~~~~~~

Please give me directions ...
Deme, por favor, direcciones ...
DE-me, por fa-VOR, dee-rek-SYO-nes ...

from the airport.
del aeropuerto.
del ai-ro-PWER-to.

from the train station.
de la estación de trenes.
de la e-sta-SYON de TRE-nes.

from the bus station.
de la estación de autobuses.
de la e-sta-SYON de ow-to-BOO-ses.

In Transit

I'm traveling ...
Viajo ... / Voy ...
VYA-ho ... / voy ...

by airplane.
por avión.
por a-VYON.

by train. / rail.
por tren. / ferrocarril.
por tren. / fe-ro-ka-REEL.

by subway.
por metro.
por ME-tro.

by bus. / coach.
en autobús.
en ow-to-BOOS.

by car.
en coche.
en KO-che.

by taxi.
en taxi.
en TA-ksee.

by bicycle.
en bicicleta.
en bee-see-KLE-ta.

on horseback.
a caballo.
a ka-BA-yo.

on foot.
a pie.
a pyeh.

with friends.
con amigos.
kon a-MEE-gos.

with my parents.
con mis padres.
kon mees PA-dres.

with my entourage.
con mi séquito.
kon mee SE-kee-to.

alone.
solo/a.
SO-lo/a.

Air Travel

flight
vuelo
VWE-lo

airport
aeropuerto
ai-ro-PWER-to

airline
aerolínea
ai-ro-LEE-ne-a

connection
conexión
ko-ne-KSYON

layover
escala
e-SKA-la

delay
retraso
re-TRA-so

ticket
boleto
bo-LE-to

pilot
piloto
pee-LO-to

flight attendant
auxiliar de vuelo
ow-ksee-LYAR de VWE-lo

Where is / are ...
¿Dónde está / están ...
¿DON-de e-STA / e-STAN ...

the check-in counter?
el mostrador de facturación?
el mo-stra-DOR de fak-too-ra-SYON?

departures?
las salidas?
las sa-LEE-das?

arrivals?
las llegadas?
las ye-GA-das?

the gate?
la puerta?
la PWER-ta?

baggage claim?
la recogida de equipajes?
la re-ko-HEE-da de e-kee-PA-hes?

lost and found?
el departamento de objetos perdidos?
el de-par-ta-MEN-to de ob-HE-tos per-DEE-dos?

the bar?
el bar?
el bar?

I'm on flight [101] to [Madrid].
Estoy en el vuelo [101] a [Madrid].
e-STOY en el VWE-lo [SYEN-to oo-no] a [ma-DREED].

What time does the flight to [Bogotá] leave?
¿A qué hora sale el vuelo a [Bogotá]?
¿a ke O-ra SA-le el VWE-lo a [bo-go-TA]?

Which gate does it leave from?
¿De qué puerta sale?
¿de ke PWER-ta SA-le?

I need to check two bags.
Necesito facturar dos maletas.
ne-se-SEE-to fac-too-RAR dos ma-LE-tas.

I only have carry-on luggage.
Sólo tengo equipaje de mano.
SO-lo TEN-go e-kee-PA-he de MA-no.

I need a boarding pass.
Necesito un pase de embarque.
ne-se-SEE-to oon PA-se de em-BAR-ke.

Is the flight ...
¿Llega el vuelo ...
¿YE-ga el VWE-lo ...

on time?	sin retraso?	*seen re-TRA-so?*
early?	con adelanto?	*kon a-de-LAN-to?*
late?	con retraso?	*kon re-TRA-so?*

Is the flight ...
¿Está el vuelo ...
¿e-STA el VWE-lo ...

delayed?	demorado?	*de-mo-RA-do?*
canceled?	cancelado?	*kan-se-LA-do?*

I'm in ...
Estoy en ...
e-STOY en ...

first class.
primera clase.
pree-ME-ra KLA-se.

business class.
clase preferente.
KLA-se pre-fe-REN-te.

economy. / coach.
clase turista.
KLA-se too-REE-sta.

an aisle seat.
un asiento en pasillo.
oon a-SYEN-to en pa-SEE-yo.

a window seat.
un asiento junto a la ventanilla.
oon a-SYEN-to HOON-to a la ven-ta-NEE-ya.

the bathroom.
el baño.
el BA-nyo.

My luggage ...
Mi equipaje ...
mee e-kee-PA-he ...

is missing.
está perdido.
e-STA per-DEE-do.

is damaged.
está dañado.
e-STA da-NYA-do.

is really heavy.
es muy pesado.
es mooy pe-SA-do.

Train Travel

train
tren
tren

tracks
vías férreas
VEE-as FE-re-as

baggage locker
consigna automática
kon-SEEG-na ow-to-MA-tee-ka

compartment
compartimento
kom-par-tee-MEN-to

dining car
coche comedor
KO-che ko-me-DOR

Where is the train station?
¿Dónde está la estación de trenes?
¿DON-de e-STA la e-sta-SYON de TRE-nes?

I'm on the [5:00] train to [Seville].
Estoy en el tren de [las cinco] para [Sevilla].
e-STOY en el tren de [las SEEN-ko] pa-ra [se-VEE-ya].

What time does the train to [Valencia] leave?
¿A qué hora sale el tren para [Valencia]?
¿a ke O-ra SA-le el tren pa-ra [va-LEN-sya]?

Which platform does it leave from?
¿De qué andén sale?
¿de ke an-DEN SA-le?

I'd like a ticket ...
Quisiera un boleto ...
kee-SYER-a oon bo-LE-to ...

for the smoking section.
para la sección de fumadores.
pa-ra la sek-SYON de foo-ma-DO-res.

for the nonsmoking section.
para la sección de no fumadores.
pa-ra la sek-SYON de no foo-ma-DO-res.

on the overnight train.
para el tren de noche.
pa-ra el tren de NO-che.

for the sleeping car.
para el coche cama.
pa-ra el KO-che KA-ma.

I need ...
Necesito ...
ne-se-SEE-to ...

some sheets.
sábanas.
SA-ba-nas.

a blanket.
una cobija.
oo-na ko-BEE-ha.

some pillows.
almohadas.
al-mo-A-das.

Bus Travel

Where is the bus station?
¿Dónde está la estación de autobuses?
¿DON-de e-STA la e-sta-SYON de ow-to-BOO-ses?

Do I need a reservation?
¿Necesito una reservación?
¿ne-se-SEE-to oo-na re-ser-va-SYON?

Can you turn up the heat, please?
¿Puede usted subir la calefacción, por favor?
¿PWE-de oo-STED soo-BEER la ka-le-fak-SYON, por fa-VOR?

Can you turn down the heat, please?
¿Puede usted bajar la calefacción, por favor?
¿PWE-de oo-STED ba-HAR la ka-le-fak-SYON, por fa-VOR?

How much longer?
¿Cuánto tiempo más?
¿KWAN-to TYEM-po mas?

Are we there yet?
¿Ya llegamos?
¿ya ye-GA-mos?

Passport and Customs

passport
pasaporte
pa-sa-POR-te

visa
visado
vee-SA-do

ID
cédula de identidad
SE-doo-la de ee-den-tee-DAD

driver's license
licencia de conducir
lee-SEN-sya de kon-doo-SEER

customs
aduana
a-DWA-na

declaration form
formulario de declaración de aduanas
for-moo-LA-ryo de de-kla-ra-SYON de a-DWA-nas

~~~~~~

I'm traveling ...
Viajo ...
VYA-ho ...

> **on business.** por negocios. *por ne-GO-syos.*

> **for pleasure.** por placer. *por pla-SER.*

~~~~~~

I'm a [U.S.] citizen.
Soy ciudadano de [los Estados Unidos].
soy syoo-da-DA-no de [los e-STA-dos oo-NEE-dos].

I lost my passport.
Se me perdió el pasaporte.
se me per-DYO el pa-sa-POR-te.

~~~~~~

I plan to stay ...
Pienso quedarme ...
PYEN-so ke-DAR-me ...

> **for [three] days.**
> por [tres] días.
> *por [tres] DEE-as.*

for [one] month.
por [un] mes.
por [oon] mes.

until I find what I'm looking for.
hasta encontrar lo que busco.
A-sta en-kon-TRAR lo ke BOO-sko.

until I clear my name.
hasta limpiar mi nombre.
A-sta leem-PYAR mee NOM-bre.

forever.
para siempre.
pa-ra SYEM-pre.

I'm only passing through.
Estoy sólo de paso.
e-STOY SO-lo de PA-so.

I have nothing to declare.
No tengo nada que declarar.
no TEN-go NA-da ke de-kla-RAR.

Countries

England / English
Inglaterra / inglés(a)
een-gla-TE-rra / een-GLES(a)

France / French
Francia / francés(a)
FRAN-sya / fran-SES(a)

Spain / Spanish
España / español(a)
e-SPA-nya / e-spa-NYOL(a)

Portugal / Portuguese
Portugal / portugués(a)
por-too-GAL / por-too-GHES(a)

Italy / Italian
Italia / italiano/a
ee-TAL-ya / ee-tal-YA-no/a

Greece / Greek
Grecia / griego/a
GRE-sya / gree-E-go/a

Germany / German
Alemania / alemán(a)
a-le-MAN-ya / a-le-MAN(a)

Russia / Russian
Rusia / ruso/a
ROO-sya / ROO-so/a

United States / American
Estados Unidos / estadounidense
e-STA-dos oo-NEE-dos / e-sta-do-oo-nee-DEN-se

Canada / Canadian
Canadá / canadiense
ka-na-DA / ka-na-DYEN-se

Mexico / Mexico
México / mexicano/a
ME-hee-ko / me-hee-KA-no/a

Brazil / Brazilian
Brasil / brasileño/a
bra-SEEL / bra-see-LE-nyo/a

Argentina / Argentine
Argentina / argentino/a
ar-hen-TEE-na / ar-hen-TEE-no/a

Morocco / Moroccan
Marruecos / marroquí
mar-WE-kos / ma-ro-KEE

Egypt / Egyptian
Egipto / egipcio/a
e-HEEP-to / e-HEEP-syo/a

Israel / Israeli
Israel / israelí
ees-rai-EL / ees-rai-el-EE

China / Chinese
China / chino/a
CHEE-na / CHEE-no/a

India / Indian
India / indio/a
EEN-dya / EEN-dyo/a

Korea / Korean
Corea / coreano/a
ko-RE-a / ko-re-A-no/a

Japan / Japanese
Japón / japonés(a)
ha-PON / ha-po-NES(a)

Thailand / Thai
Tailandia / tailandés(a)
tai-LAN-dya / tai-lan-DES(a)

Australia / Australian
Australia / australiano/a
ow-STRA-lya / ow-stra-LYA-no/a

New Zealand / Kiwi
Nueva Zelanda / neozelandés(a)
NWE-va se-LAN-da / ne-o-se-lan-DES(a)

Checking In

reception
recepción
re-sep-SYON

check-in
entrada
en-TRA-da

checkout
salida
sa-LEE-da

deposit
depósito
de-PO-see-to

key
llave
YA-ve

key card
tarjeta para abrir la puerta
tar-HE-ta pa-ra a-BREER la PWER-ta

Do I need a reservation?
¿Necesito una reservación?
¿ne-se-SEE-to oo-na re-ser-va-SYON?

I'd like to check in.
Me gustaría registrarme.
me goo-sta-REE-a re-hee-STRAR-me.

I have a reservation for tonight.
Tengo una reservación para esta noche.
TEN-go oo-na re-ser-va-SYON pa-ra e-sta NO-che.

Can I change my reservation?
¿Puedo cambiar mi reservación?
¿PWE-do kam-BYAR mee re-ser-va-SYON?

I'd like to cancel my reservation.
Quisiera cancelar mi reservación.
kee-SYER-a kan-se-LAR mee re-ser-va-SYON.

Is there an elevator?
¿Hay ascensor?
¿ai a-sen-SOR?

Can you help me with my luggage?
¿Me puede ayudar con mi equipaje?
¿me PWE-de a-yoo-DAR kon mee e-kee-PA-he?

Can I have an extra key?
¿Puede darme una llave adicional?
¿PWE-de DAR-me oo-na YA-ve a-dee-syo-NAL?

Here is your tip. Thanks.
Aquí tiene su propina. Gracias.
a-KEE TYEN-e soo pro-PEE-na. GRA-syas.

~~~~~~~~~~~~~~~~~~~~~~~~~~~~~~~~

My room ...
Mi habitación ...
mee a-bee-ta-SYON ...

is too small.
es demasiado pequeña.
es de-ma-SYA-do pe-KE-nya.

is too dirty.
está demasiado sucia.
e-STA de-ma-SYA-do SOO-sya.

is just right.
es adecuada.
es a-de-KWA-da.

is perfect.
es perfecta.
es per-FEK-ta.

is crawling with ants.
está llena de hormigas.
e-STA YE-na de or-MEE-gas.

My room is ...
En mi habitación ...
en mee a-bee-ta-SYON ...

too hot.
hace demasiado calor.
a-se de-ma-SYA-do ka-LOR.

too cold.
hace demasiado frío.
a-se de-ma-SYA-do FREE-o.

I need new sheets.
Necesito sábanas limpias.
ne-se-SEE-to SA-ba-nas LEEM-pyas.

The _____ doesn't work.
... no funciona.
... no foon-SYO-na.

light switch
La luz
la looss

alarm clock
El despertador
el de-sper-ta-DOR

TV
El televisor
el te-le-vee-SOR

toilet
El inodoro
el ee-no-DO-ro

sink
El lavamanos
el la-va-MA-nos

shower
La ducha
la DOO-cha

refrigerator
La nevera
la ne-VE-ra

air conditioner
El acondicionador de aire
el a-kon-dee-syo-na-DOR de ai-re

heat
La calefacción
la ka-le-fak-SYON

SETTLING IN

What is the phone number here?
¿Cuál es el número de teléfono aquí?
¿kwal es el NOO-me-ro de te-LE-fo-no a-KEE?

Are there any messages for me?
¿Hay recados para mí?
¿ai re-KA-dos pa-ra mee?

I'm in room [212].
Estoy en la habitación [212].
e-STOY en la a-bee-ta-SYON [do-SYEN-tos DO-se].

I lost the key to my room.
Se me perdió la llave de mi habitación.
se me per-DYO la YA-ve de mee a-bee-ta-SYON.

What time is breakfast?
¿A qué hora es el desayuno?
¿a ke O-ra es el de-sa-YOO-no?

Is there someone here all night?
¿Hay alguien aquí toda la noche?
¿ai al-GYEN a-KEE TO-da la NO-che?

How late can I stay out?
¿Hasta qué horas me permite estar afuera?
¿A-sta ke O-ras me per-MEE-te e-STAR a-FWE-ra?

I need a wake-up call.
Necesito el servicio de despertador.
ne-se-SEE-to el ser-VEE-syo de des-per-ta-DOR.

Let me in!
¡Déjeme entrar!
¡DE-he-me en-TRAR!

Relief!

toilet
inodoro
ee-no-DO-ro

sink
lavamanos
la-va-MA-nos

toilet paper
papel higiénico
pa-PEL ee-HYEN-ee-ko

Where's ...
¿Dónde está ...
¿DON-de e-STA ...

> #### the bathroom?
> el baño?
> *el BA-nyo?*
>
> #### the ladies' room?
> el baño de las mujeres?
> *el BA-nyo de las moo-HE-res?*
>
> #### the men's room?
> el baño de caballeros?
> *el BA-nyo de ka-ba-YE-ros?*

It's not working.
No funciona.
no foon-SYO-na.

It won't flush.
La cisterna no funciona.
la see-STER-na no foon-SYO-na.

It's dirty.
Está sucio.
e-STA SOO-syo.

It's overflowing.
El agua se está rebosando.
el A-gwa se e-STA re-bo-SAN-do.

Orientation

north	norte	*NOR-te*
south	sur	*soor*
east	este	*E-ste*
west	oeste	*o-WE-ste*

city map
plano
PLA-no

I'm lost.
Estoy perdido/a.
e-STOY per-DEE-do/a.

~~~~~~~~~~~~~~~~

Where is ...
¿Dónde está ...
¿DON-de e-STA ...

the tourist office?
la oficina de turismo?
la o-fee-SEE-na de too-REES-mo?

the nearest restaurant?
el restaurante más cercano?
el re-stow-RAN-te mas ser-KA-no?

the post office?
el correo?
el ko-RE-o?

the police station?
la comisaría?
la ko-mee-sa-REE-a?

the center of town?
el centro?
el SEN-tro?

~~~~~~~~~~~~~~~~

Can you tell me where the _____ is?
¿Puede decirme dónde está el / la _____?
¿PWE-de de-SEER-me DON-de e-STA el / la _____?

Can you tell me how to get there?
¿Puede decirme cómo llegar?
¿PWE-de de-SEER-me KO-mo ye-GAR?

Which way do I go?
¿En qué dirección me voy?
¿en ke dee-rek-SYON me voy?

Turn ...
Doble ...
DO-ble ...

left ...
a la izquierda ...
a la ees-KYER-da ...

right ...
a la derecha ...
a la de-RE-cha ...

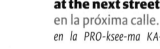

at the corner.
en la esquina.
en la es-KEE-na.

at the next street.
en la próxima calle.
en la PRO-ksee-ma KA-ye.

Go straight ahead ...
Siga derecho ...
SEE-ga de-RE-cho ...

down this street.
en esta calle.
en E-sta KA-ye.

through the intersection.
por el cruce.
por el KROO-se.

Am I going the right way?
¿Voy bien?
¿voy byen?

You're going the wrong way.
Vas por el camino equivocado.
Vas por el ka-MEE-no e-kee-vo-KA-do.

Do you have a map?
¿Tiene usted un mapa?
¿TYEN-e oo-STED oon MA-pa?

~~~~~~~~~~~~~~~~~~~~~

Can you recommend ...
¿Puede recomendar ...
¿PWE-de re-ko-men-DAR ...

a place to eat?
dónde comer?
DON-de ko-MER?

a place to sleep?
dónde dormir?
DON-de dor-MEER?

a trendy café?
un café popular?
oon ka-FE po-poo-LAR?

a restaurant that's still open?
un restaurante que esté abierto todavía?
oon re-stow-RAN-te ke e-STE a-BYER-to to-da-VEE-a?

a bar?
un bar?
oon bar?

a dance club? / a disco?
una discoteca?
oo-na dee-sko-TE-ka?

Local
Transportation

Where's the nearest bus stop?
¿Dónde está la parada más cercana de autobuses?
¿DON-de e-STA la pa-RA-da mas ser-KA-na de ow-to-BOO-ses?

Where can I catch the bus to [Plaza de España]?
¿Dónde puedo tomar el autobús para [la Plaza de España]?
¿DON-de PWE-do to-MAR el ow-to-BOOS pa-ra [la PLA-sa de e-SPA-nya]?

Do you stop at [the museum]?
¿Para en [el museo]?
¿PA-ra en [el moo-SE-o]?

Do you have a bus map?
¿Tiene un mapa de autobuses?
¿TYEN-e oon MA-pa de ow-to-BOO-ses?

What's the fare?
¿Cuánto es la tarifa?
¿KWAN-to es la ta-REE-fa?

Where's the nearest subway stop?
¿Dónde está la parada más cercana del metro?
¿DON-de e-STA la pa-RA-da mas ser-KA-na del ME-tro?

I need ...
Necesito ...
ne-se-SEE-to ...

a ticket. / token.
un boleto.
oon bo-LE-to.

a day pass.
un pase de un día.
oon PA-se de oon DEE-a.

a weekly pass.
un pase semanal.
oon PA-se se-ma-NAL.

a subway map.
un mapa del metro.
oon MA-pa del ME-tro.

to transfer.
hacer un transborde.
a-SER un trans-BOR-de.

the [red / A / 7] line.
la línea [roja / A / siete].
la LEE-ne-a [RO-ha / a / SYET-e].

Where do I get off?
¿Dónde me bajo?
¿DON-de me BA-ho?

At the first stop.
En la primera parada.
en la pree-ME-ra pa-RA-da.

At the second stop.
En la segunda parada.
en la se-GOON-da pa-RA-da.

Where can I catch a taxi?
¿Dónde puedo tomar un taxi?
¿DON-de PWE-do to-MAR oon TA-ksee?

How much is a taxi to [the Prado Museum]?
¿Cuánto sale ir en taxi a [l Museo del Prado]?
¿KWAN-to SA-le eer en TA-ksee a [l moo-SEE-o del PRA-do]?

What's the fare?
¿Cuánto es la tarifa?
¿KWAN-to es la ta-REE-fa?

Please turn the meter on.
Encienda, por favor, el taxímetro.
en-SYEN-da, por fa-VOR, el ta-KSEE-me-tro.

That's too much.
Es demasiado.
es de-ma-SYA-do.

4 Wining and Dining

I'm hungry.
Tengo hambre.
TEN-go AM-bre.

I'm thirsty.
Tengo sed.
TEN-go sed.

I'm starving.
Me muero de hambre.
me MWE-ro de AM-bre.

I need to eat.
Necesito comer.
ne-se-SEE-to ko-MER.

I could eat a horse.
Me comería una vaca entera.
me ko-me-REE-a oo-na VA-ca en-TE-ra.

I need a drink.
Necesito una bebida.
ne-se-SEE-to oo-na be-BEE-da.

I need [several] drinks.
Necesito [varias] bebidas.
ne-se-SEE-to [VA-ryas] be-BEE-das.

Meals

breakfast	desayuno	de-sa-YOO-no
lunch	almuerzo	al-MWER-so
dinner	cena	SE-na
snack	merienda	mer-ee-YEN-da

Courses

salad	ensalada	en-sa-LA-da
appetizer	aperitivo	a-pa-ree-TEE-vo
main dish / main course	plato principal	PLA-to preen-see-PAL
side dish	primer plato	pree-MER PLA-to
dessert	postre	PO-stre

Utensils

fork	tenedor	te-ne-DOR
knife	cuchillo	koo-CHEE-yo
spoon	cuchara	koo-CHA-ra
plate	plato	PLA-to
bowl	tazón	ta-SON
cup	taza	TA-sa
glass	vaso	VA-so

Going Out to Eat

Can you recommend a ...
¿Puede usted recomendar un ...
¿PWE-de oo-STED re-ko-men-DAR oon ...

restaurant?	restaurante?	*re-stow-RAN-te?*
bar?	bar?	*bar?*
café?	café?	*ka-FE?*

Is it cheap?
¿Es barato?
¿es ba-RA-to?

Is it nearby?
¿Está cerca?
¿e-STA SER-ka?

What kind of food do they serve?
¿Qué tipo de comida sirven?
¿ke TEE-po de ko-MEE-da SEER-ven?

Do they have vegetarian food?
¿Tienen comida vegetariana?
¿TYEN-en ko-MEE-da ve-he-tar-YA-na?

Can they take a big group?
¿Pueden aceptar un grupo grande?
¿PWE-den a-sep-TAR oon GROO-po GRAN-de?

Will we need reservations?
¿Necesitamos reservaciones?
¿ne-se-see-TA-mos re-ser-va-SYON-es?

How late do they serve food?
¿Hasta qué hora sirven comida?
¿A-sta ke O-ra SEER-ven ko-MEE-da?

We're in a hurry.
Tenemos prisa.
te-NE-mos PREE-sa.

We'd like a table for [four].
Quisiéramos una mesa para [cuatro].
kee-SYE-ra-mos oo-na ME-sa pa-ra [KWA-tro].

How long is the wait?
¿Cuánto tenemos que esperar?
¿KWAN-to te-NE-mos ke e-spe-RAR?

We have a reservation.
Tenemos una reservación.
te-NE-mos oo-na re-ser-va-SYON.

The name is _____.
El nombre es _____.
el NOM-bre es _____.

We'd like the smoking / nonsmoking section.
Nos gustaría la sección de fumadores / no fumadores.
nos goo-sta-REE-a la sek-SYON de foo-ma-DO-res / no foo-ma-DO-res.

~~~~~~~~~~~~~~~~~~~~~~~~~~~~

My friends will be here ...
Mis amigos llegarán ...
mees a-MEE-gos ye-ga-RAN ...

> ### soon.
> pronto.
> *PRON-to.*
>
> ### in [ten] minutes.
> en [diez] minutos.
> *en [dyess] mee-NOO-tos.*
>
> ### later.
> más tarde.
> *mas TAR-de.*

Where's the restroom?
¿Dónde está el baño?
¿DON-de e-STA el BA-nyo?

May I see a menu?
¿Me puede dar una menú?
¿me PWE-de dar oo-na me-NOO?

What do you recommend?
¿Qué recomienda?
¿ke re-ko-MYEN-da?

Do you have any specials?
¿Hay platos especiales?
¿ai PLA-tos e-spe-SYA-les?

Do you have a kids' menu?
¿Tienen un menú para niños?
¿TYEN-en oon me-NOO pa-ra NEE-nyos?

I'm a vegetarian.
Soy vegetariano/a.
soy ve-he-tar-YA-no/a.

I'll have _____.
Voy a pedir _____.
voy a pe-DEER _____.

He / she will have _____.
Él / Ella va a pedir _____.
el / E-ya va a pe-DEER _____.

I'll have what he's / she's having.
Voy a pedir lo que él / ella pidió.
voy a pe-DEER lo ke el / E-ya pee-DYO.

We'd like to split [an appetizer].
Quisiéramos compartir [un aperitivo].
kee-SYE-ra-mos kom-par-TEER [oon a-pe-ree-TEE-vo].

Can you hold the [onions]?
No quiero [cebolla].
no KYE-ro [se-BO-ya].

Can I have the [sauce] on the side?
¿Puede darme [la salsa] aparte?
¿PWE-de DAR-me [la SAL-sa] a-PAR-te?

I'd like it ...
Lo quisiera ...
lo kee-SYER-a ...

rare.	vuelta y vuelta.	*VWEL-ta ee VWEL-ta.*
medium.	a punto.	*a POON-to.*
well-done.	bien cocido.	*byen ko-SEE-do.*

How is everything?
¿Cómo está todo?
¿KO-mo e-STA TO-do?

Everything's great, thank you.
Todo está muy bien, gracias.
TO-do e-STA mooy byen, GRA-syas.

It's ...
Está ...
e-STA ...

delicious.	delicioso.	*de-lee-SYO-so.*
bitter.	amargo.	*a-MAR-go.*
sour.	agrio.	*A-gryo.*
sweet.	dulce.	*DOOL-se.*
hot. / spicy.	picante.	*pee-KAN-te.*

It's the best [artichoke] I've ever had.
Es [la] mejor [alcachofa] que he comido.
es [la] me-HOR [al-ka-CHO-fa] ke e ko-MEE-do.

This is [a little] ...
Esto está [un poco] ...
E-sto e-STA [oon PO-ko] ...

cold.	frío.	*FREE-o.*
undercooked.	crudo.	*KROO-do.*
overcooked.	recocido.	*re-ko-SEE-do.*
burned.	quemado.	*ke-MA-do.*
rotten.	podrido.	*po-DREE-do.*

This is too salty.
Esto está demasiado salado.
E-sto e-STA de-ma-SYA-do sa-LA-do.

This is not fresh.
Esto no está fresco.
E-sto no e-STA FRE-sko.

Can I have a new napkin, please?
¿Puede darme otra servilleta, por favor?
¿PWE-de DAR-me o-tra ser-vee-YE-ta, por fa-VOR?

This [fork] is dirty.
Este [tenedor] está sucio.
E-ste [te-ne-DOR] e-STA SOO-syo.

I would like another.
Me gustaría otro.
me goo-sta-REE-a O-tro.

I'm full.
Estoy lleno/a.
e-STOY YE-no/a.

I'm stuffed.
Estoy que no puedo más.
e-STOY ke no PWE-do mas.

I'm still hungry.
Todavía tengo hambre.
to-da-VEE-a TEN-go AM-bre.

Can I take the rest to go?
¿Puedo llevar el resto?
¿PWE-do ye-VAR el RE-sto?

The check, please.
La cuenta, por favor.
la KWEN-ta, por fa-VOR.

Is tip / service included?
¿Está incluida la propina?
¿e-STA een-kloo-EE-da la pro-PEE-na?

I don't think the bill is right.
No creo que la cuenta esté correcta.
no KRE-o ke la KWEN-ta e-STE ko-RREC-ta.

Do you take credit cards?
¿Aceptan tarjetas de crédito?
¿a-SEP-tan tar-HE-tas de KRE-dee-to?

Can I get a receipt?
¿Puede darme un recibo?
¿PWE-de DAR-me oon re-SEE-bo?

Preparation

raw	crudo	*KRU-do*
fresh	fresco	*FRE-sko*
baked	cocido al horno	*ko-SEE-do al OR-no*
fried	frito	*FREE-to*
roasted / broiled	asado	*a-SA-do*
grilled	asado a la parrilla	*a-SA-do a la pa-REE-ya*
sautéed	salteado	*sal-te-A-do*
charred	carbonizado	*kar-bo-nee-SA-do*

Foods

meat	carne	*KAR-ne*
poultry	carne de ave	*KAR-ne de A-ve*
fish	pescado	*pe-SKA-do*
beef	carne de vaca	*KAR-ne de VA-ka*
ham	jamón	*ha-MON*
pork	carne de cerdo	*KAR-ne de SER-do*
lamb	carne de cordero	*KAR-ne de kor-DE-ro*
chicken	pollo	*PO-yo*
turkey	pavo	*PA-vo*

fish	pescado	*pe-SKA-do*
salmon	salmón	*sal-MON*
tuna	atún	*a-TOON*
bass	lubina	*loo-BEE-na*
shrimp	camarón	*ka-ma-RON*
squid	calamar	*ka-la-MAR*

fruits	frutas	*FROO-tas*
apple	manzana	*man-SA-na*

orange	naranja	*na-RAN-ha*
plantain	plátano	*PLA-ta-no*
straw-berry	fresa	*FRE-sa*
cherry	cereza	*se-RE-sa*
grapes	uvas	*OO-vas*

~~~~~~

vegetables / grains	verduras / cereales	*ver-DOO-ras / se-re-A-les*
potato	patata (Spain) / papa (Latin America)	*pa-TA-ta / PA-pa*
tomato	tomate	*to-MA-te*
eggplant	berenjena	*be-ren-HE-na*
cucumber	pepino	*pe-PEE-no*
pepper	pimiento	*pee-MYEN-to*
carrot	zanahoria	*sa-na-O-rya*
onion	cebolla	*se-BO-ya*
garlic	ajo	*A-ho*
mush-room	champiñón	*cham-pee-NYON*
peas	arvejas	*ar-VE-has*
corn	maíz	*ma-EESS*
rice	arroz	*a-ROS*
beans	frijoles	*free-HO-les*

drinks	bebidas	*be-BEE-das*
wine	vino	*VEE-no*
beer	cerveza	*ser-VE-sa*
liquor	alcohol	*al-ko-OL*
soda / pop	refresco	*re-FRE-sko*
water	agua	*A-gwa*
still water	sin gas	*seen GAS*
carbonated	con gas	*kon GAS*
coffee	café	*ka-FE*
tea	té	*te*
milk	leche	*LE-che*
juice	jugo	*HOO-go*

~~~~~~~~~~~~~~~~~~~~~~~~~~~~~~

spices	especias	*e-SPE-syas*
sugar	azúcar	*a-SOO-kar*
salt	sal	*sal*
pepper	pimienta	*pee-MYEN-ta*

~~~~~~~~~~~~~~~~~~~~~~~~~~~~~~

desserts	postre	*PO-stre*
cake	pastel	*pa-STEL*
cookie	galleta	*ga-YE-ta*
torte	pastel	*pa-STEL*
cheese	queso	*KE-so*

I don't eat ...
No como ...
no KO-mo ...

    red meat.   carne roja.   *KAR-ne RO-ha.*

    pork.   carne de cerdo. *KAR-ne de SER-do.*

    fish.   pescado.   *pe-SKA-do.*

I'm allergic ...
Soy alérgico/a ...
soy a-LER-hee-ko/a ...

    to nuts.
    a las nueces.
    a las NWE-ses.

    to chocolate.
    al chocolate.
    al cho-ko-LA-te.

    to dairy products.
    a los productos lácteos.
    a los pro-DOOK-tos LAK-te-os.

I keep kosher.
Sólo como comida autorizada por la ley judía.
*SO-lo KO-mo ko-MEE-da ow-to-ree-SA-da
por la lay hoo-DEE-ya.*

I'm vegan.
Soy vegetariano/a estricto/a.
soy ve-he-tar-YA-no/a e-STREEK-to/a.

I'm Mormon.
Soy mormón / mormona.
soy mor-MON / mor-MON-a.

Grooming and Primping

Clothes

What are you wearing?
¿Qué llevas?
¿ke YE-vas?

I'm wearing ...
Llevo ...
YE-vo ...

a T-shirt.
una camiseta.
oo-na ka-mee-SE-ta.

a [red] T-shirt.
una camiseta [roja].
oo-na ka-mee-SE-ta [RO-ha].

a short-sleeve shirt.
una camisa de manga corta.
oo-na ka-MEE-sa de MAN-ga KOR-ta.

a long-sleeve shirt.
una camisa de manga larga.
oo-na ka-MEE-sa de MAN-ga LAR-ga.

a sweatshirt.
una sudadera.
oo-na soo-da-DE-ra.

a sweater.
un suéter.
oon SWE-ter.

shorts.
pantalones cortos.
pan-ta-LO-nes KOR-tos.

pants.
pantalones.
pan-ta-LO-nes.

jeans.
vaqueros. / jeans.
va-KE-ros. / jeens.

a belt.
un cinturón.
oon seen-too-RON.

a skirt.
una falda.
oo-na FAL-da.

a dress.
un vestido.
oon ve-STEE-do.

a coat.
un abrigo.
oon a-BREE-go.

a jacket.
una chaqueta.
oo-na cha-KE-ta.

a tank top.
una camiseta sin mangas.
oo-na ka-mee-SE-ta seen MAN-gas.

a bra.
un sostén. / brasier.
oon so-STEN. / bra-SYER.

a swimsuit.
un traje de baño.
oon TRA-he de BA-nyo.

a bikini.
un bikini.
oon bee-KEE-nee.

a hat.
un sombrero.
oon som-BRE-ro.

underwear.
ropa interior.
RO-pa een-ter-YOR.

tights.
malla.
MA-ya.

nylons.
medias.
ME-dyas.

shoes.
zapatos.
sa-PA-tos.

sneakers.
tenis. / zapatillas.
TE-nees. / sa-pa-TEE-yas.

sandals.
sandalias.
san-DAL-yas.

boots.
botas.
BO-tas.

flats.
tacones bajos.
ta-KO-nes BA-hos.

high heels.
tacones altos.
ta-KO-nes AL-tos.

Cleaning Up

I need to ...
Necesito ...
ne-se-SEE-to ...

> **take a shower.**
> ducharme.
> *doo-CHAR-me.*

> **take a bath.**
> bañarme.
> *ba-NYAR-me.*

towel	toalla	*TWA-ya*
soap	jabón	*ha-BON*
shampoo	champú	*cham-POO*
conditioner	acondicionador	*a-kon-dee-syo-na-DOR*
lotion	loción	*lo-SYON*
moisturizer	crema hidratante / humectante	*KRE-ma ee-dra-TAN-te / oo-mek-TAN-te*
mirror	espejo	*e-SPE-ho*

The water is ...
El agua está ...
el A-gwa e-STA ...

freezing. helada. *e-LA-da.*

too hot. demasiado caliente. *de-ma-SYA-do kal-YEN-te.*

just right. muy bien. *mooy byen.*

brown. marrón. *ma-RON.*

~~~~~~~~~~~~~~~~~~~~~~~~~~~~~~~~~~~~~

I need to ...
Necesito ...
ne-see-SEE-to ...

brush my teeth.
cepillarme los dientes.
se-pee-YAR-me los DYEN-tes.

floss.
limpiarme los dientes con hilo dental.
leem-PYAR-me los DYEN-tes kon EE-lo den-TAL.

do my hair.
arreglarme el pelo.
a-re-GLAR-me el PE-lo.

brush my hair.
cepillarme el pelo.
se-pee-YAR-me el PE-lo.

comb my hair.
peinarme.
pey-NAR-me.

dry my hair.
secarme el pelo.
se-KAR-me el PE-lo.

put on makeup.
maquillarme.
ma-kee-YAR-me.

clean out my earwax.
limpiarme los oídos.
leem-PYAR-me los o-EE-dos.

Have you seen ...
¿Has visto ...
¿as VEE-sto ...

my toothbrush?
mi cepillo de dientes?
mee se-PEE-yo de DYEN-tes?

the hair dryer?
el secador?
el se-ka-DOR?

Getting Ready

I don't have anything to wear.
No tengo nada de ropa.
no TEN-go NA-da de RO-pa.

I'm ready!
¡Estoy listo/a!
¡e-STOY LEE-sto/a!

I need more time.
Necesito más tiempo.
ne-se-SEE-to mas TYEM-po.

[Five] more minutes.
[Cinco] minutos más.
[SEEN-ko] mee-NOO-tos mas.

I'll meet you ...
Te encuentro ...
te en-KWEN-tro ...

outside.
afuera.
a-FWE-ra.

in the lobby.
en el vestíbulo.
en el ve-STEE-boo-lo.

at the restaurant.
en el restaurante.
en el re-stow-RAN-te.

You look great.
Te ves fantástico/a.
te ves fan-TA-stee-ko/a.

You've aged well.
Estás muy bien conservado/a.
e-STAS mooy byen kon-ser-VA-do.

I look terrible!
¡Estoy feísimo/a!
ie-STOY fe-EE-see-mo/a!

Is this outfit appropriate?
¿Es apropiada esta ropa?
¿es a-pro-PYA-da E-sta RO-pa?

71

Do you have ...
¿Tienes ...
¿TYEN-es ...

> **money?**
> dinero?
> *dee-NE-ro?*

> **your ID?**
> tu carnet?
> *too kar-NE?*

~~~~~~~~~~~~~~~~~~~~~~~~~~~~~~~~~~~~~

I can't find ...
No encuentro ...
no en-KWEN-tro ...

my purse.	mi bolso.	*mee BOL-so.*
my wallet.	mi cartera.	*mee kar-TE-ra.*
my keys.	mis llaves.	*mees YA-ves.*

~~~~~~~~~~~~~~~~~~~~~~~~~~~~~~~~~~~~~

Are you bringing [a bag]?
¿Traes [una bolsa]?
¿TRA-es [oo-na BOL-sa]?

6 Going Out

Making Plans

What are you up to tonight?
¿Qué haces esta noche?
¿ke A-ses E-sta NO-che?

You feel like doing something?
¿Tienes ganas de hacer algo?
¿TYEN-es GA-nas de a-SER AL-go?

Yeah, I'd love to.
Sí, me encantaría.
see, me en-kan-ta-REE-a.

Maybe.
Quizás.
kee-SAS.

I'm not sure yet.
Todavía no estoy seguro/a.
to-da-VEE-a no e-STOY se-GOO-ro/a.

No, I can't, sorry.
No, no puedo. Lo siento.
no, no PWE-do. lo SYEN-to.

No, I'm tired.
No, estoy cansado/a.
no, e-STOY kan-SA-do/a.

I'm staying in.
Me quedo en casa.
me KE-do en KA-sa.

Call me if it seems fun.
Llámame si te parece divertido.
YA-ma-me see te pa-RE-se dee-ver-TEE-do.

~~~~~~~~~~~~~~~~~~~~~~~~~~~~~~~

What do you feel like doing?
¿Qué quieres hacer?
¿ke KYER-es a-SER?

Did you eat yet?
¿Ya has comido?
¿ya as ko-MEE-do?

Have you talked to [John]?
¿Has hablado con [John]?
¿as a-BLA-do kon [jon]?

~~~~~~~~~~~~~~~~~~~~~~~~~~~~~~~

I'm in the mood to ...
Tengo ganas de ...
TEN-go GA-nas de ...

We could ...
Podríamos ...
po-DREE-a-mos ...

go to a movie.
ir al cine.
eer al SEE-ne.

go to a show.
ir a un espectáculo.
eer a oon e-spek-TA-koo-lo.

go out to dinner.
salir a cenar.
sa-LEER a se-NAR.

go out and have some drinks.
salir a tomar unas copas.
sa-LEER a to-MAR oo-nas KO-pas.

go on a bender.
irnos de juerga.
EER-nos de HWER-ga.

hang out in my room.
pasar el tiempo en mi habitación.
pa-SAR el TYEM-po en mee a-bee-ta-SYON.

Where should we go?
¿Adónde vamos?
¿a-DON-de VA-mos?

I love that place.
Me encanta ese lugar.
me en-KAN-ta e-se loo-GAR.

I hate that place.
Odio ese lugar.
O-dyo e-se loo-GAR.

I've never been there.
Nunca he estado allí.
NOON-ka e e-STA-do a-YEE.

I heard it gets a good crowd.
He oído que siempre hay mucha gente.
e o-EE-do ke SYEM-pre ai MOO-cha HEN-te.

Is it close by?
¿Está cerca?
¿e-STA SER-ka?

Is it far?
¿Está lejos?
¿e-STA LE-hos?

What time does it open?
¿A qué hora abre?
¿a ke O-ra A-bre?

What time does it close?
¿A qué hora cierra?
¿a ke O-ra SYER-a?

What time do you want to meet?
¿Hasta qué hora te quieres quedar?
¿a-sta ke O-ra te KYER-es ke-DAR?

How long do you need to get ready?
¿Cuánto tardas en prepararte?
¿KWAN-to TAR-das en pre-pa-RAR-te?

I'm free at _____.
Estoy libre a la(s) _____.
e-STOY LEE-bre a la(s) _____.

OK, I'll call you at _____.
Bueno, te llamaré a la(s) _____.
BWE-no, te ya-ma-RE a la(s) _____.

What are you going to wear?
¿Qué vas a llevar?
¿ke vas a ye-VAR?

What should I wear?
¿Qué debo llevar?
¿ke DE-bo ye-VAR?

Do I have to dress formally?
¿Tengo que vestirme de etiqueta?
¿TEN-go ke ve-STEER-me de e-tee-KE-ta?

Do we need a reservation?
¿Necesitamos una reservación?
¿ne-se-see-TA-mos oo-na re-ser-va-SYON?

Is there dancing?
¿Se baila?
¿se BAI-la?

Do they ask for ID?
¿Piden identificación?
¿PEE-den ee-den-tee-fee-ka-SYON?

What time does the [show] start?
¿A qué hora empieza el [espectáculo]?
¿a ke O-ra em-PYES-a el [e-spek-TA-koo-lo]?

How late will you be out?
¿Hasta qué hora estarás?
¿A-sta ke O-ra e-sta-RAS?

I have something to do in the morning.
Tengo algo que hacer por la mañana.
TEN-go AL-go ke a-SER por la ma-NYA-na.

Let's make it an early night.
Volvamos a casa temprano.
vol-VA-mos a KA-sa tem-PRA-no.

Let's go wild!
¡Vamos de juerga!
¡VA-mos de HWER-ga!

~~~~~~~~~~~~~~~~~~~~~~~~~~~~~~~~

Where do you want to meet?
¿Dónde quieres encontrarnos?
¿DON-de KYER-es en-kon-TRAR-nos?

Let's meet at _____.
Vamos a encontrarnos en _____.
VA-mos a en-kon-TRAR-nos en _____.

What street is it on?
¿En qué calle está?
¿en ke KA-ye e-STA?

I'll meet you there.
Te veo allí.
te VE-o a-YEE.

Call me if you get lost.
Llámame si te pierdes.
YA-ma-me see te PYER-des.

Where are you?
¿Dónde estás?
¿DON-de e-STAS?

I'm running late.
Estoy atrasado.
e-STOY a-tra-SA-do.

I'll be there in [ten] minutes.
Llegaré en [diez] minutos.
ye-ga-RE en [dyess] mee-NOO-tos.

At the Bar

I love this place!
¡Me encanta este lugar!
¡me en-KAN-ta e-ste loo-GAR!

Let's stay a little longer.
Quedémonos un poquito más.
ke-DE-mo-nos oon po-KEE-to mas.

Do you see a table anywhere?
¿Ves una mesa?
¿ves oo-na ME-sa?

I'll be by the bar.
Estaré al lado de la barra.
e-sta-RE al LA-do de la BA-rra.

This place sucks.
Este lugar es malísimo.
e-ste loo-GAR es ma-LEE-see-mo.

Let's go somewhere else.
Vamos a otro lugar.
VA-mos a o-tro loo-GAR.

Let's go back to that other place.
Volvamos al otro lugar.
vol-VA-mos al o-tro loo-GAR.

Let's go home.
Vamos a casa.
VA-mos a KA-sa.

I'm tired.
Estoy cansado/a.
e-STOY kan-SA-do/a.

I'm not tired yet.
No estoy cansado/a todavía.
no e-STOY kan-SA-do/a to-da-VEE-a.

I'm just getting started.
Acabo de empezar.
a-KA-bo de em-pe-SAR.

I don't have money.
No tengo dinero.
no TEN-go dee-NE-ro.

This place is too expensive.
Este lugar es demasiado caro.
e-ste loo-GAR es de-ma-SYA-do KA-ro.

Can you loan me some money?
¿Me puedes prestar dinero?
¿me PWE-des pre-STAR dee-NE-ro?

Is there an ATM around here?
¿Hay un cajero automático por aquí?
¿ai oon ka-HE-ro ow-to-MA-tee-ko por a-KEE?

Do you have a light?

¿Tienes encendedor?

¿TYEN-es en-sen-de-DOR?

Do you have a cigarette?

¿Tienes cigarrillo?

¿TYEN-es see-ga-REE-yo?

Do you want a drink?

¿Quieres una copa?

¿KYER-es oo-na KO-pa?

What do you like to drink?

¿Qué te gusta tomar?

¿ke te GOO-sta to-MAR?

Pairing Up

Pickup Lines

Come here often?
¿Vienes aquí mucho?
¿VYEN-es a-KEE MOO-cho?

Is everyone from [Argentina] as pretty / handsome as you?
¿Son todos/as los/las de [la Argentina] tan guapos/as como tú?
¿son TO-dos/as los/las de [la ar-hen-TEE-na] tan GWA-pos as KO-mo too?

Are you sure you're not from heaven? Because you look like an angel.
¿Qué pasará en el cielo que los ángeles andan en la tierra?
¿ke pa-sa-RA en el SYEL-o ke los AN-he-les AN-dan en la TYER-a?

Don't fall in love with me. I'm bad news.
No te enamores de mí. No traigo más que problemas.
no te e-na-MO-res de mee. no TRAI-go mas ke pro-BLE-mas.

Let's get to know each other.
Vamos a conocernos.
VA-mos a ko-no-SER-nos.

Tell me about yourself.
Háblame de ti.
A-bla-me de tee.

What do you do?
¿Qué haces?
¿ke A-ses?

What music / films / books do you like?
¿Qué música / películas / libros te gusta(n)?
¿ke MOO-see-ka / pe-LEE-koo-las / LEE-bros te GOO-sta(n)?

Are you from here?
¿Eres de aquí?
¿E-res de a-KEE?

Where do you live?
¿Dónde vives?
¿DON-de VEE-ves?

x

Cool!	¡Guau! (Spain) /	*¡gwow! /*
	¡Chévere! (Latin America)	*¡CHE-ve-re!*
Great!	¡Estupendo!	*¡e-stoo-PEN-do!*
Fascinating!	¡Fascinante!	*¡fa-see-NAN-te!*
Me too!	¡Yo también! /	*¡yo tam-BYEN! /*
	¡A mí también!	*¡a mee tam-BYEN!*

You're ...
Eres ...
E-res ...

pretty.	bonita.	*bo-NEE-ta.*
beautiful.	bella.	*BE-ya.*
handsome.	guapo.	*GWA-po.*
stunning.	despampanante.	*des-pam-pa-NAN-te.*

PAIRING UP

You are [one of] the most beautiful women / men I've ever seen.

Eres [uno/a] de los hombres / las mujeres más guapos/as que jamás he visto.

e-res [oo-no/a] de los OM-bres / las moo-HE-res mas GWA-pos/as ke ha-MAS e VEE-sto.

I like you.

Me gustas.

me GOO-stas.

You seem nice.

Me pareces simpático/a.

me pa-RE-ses seem-PA-tee-ko/a.

You have ...

Tienes ...

TYEN-es ...

such beautiful eyes.

los ojos hermosos.

los O-hos er-MO-sos.

such beautiful hair.

el cabello hermoso.

el ka-BE-yo er-MO-so.

such beautiful hands.

las manos hermosas.

las MA-nos er-MO-sas.

I'm interested in you.

Me interesas.

me een-te-RE-sas.

Do you have a [boyfriend / girlfriend]?

¿Tienes [novio/a]?

¿TYEN-es [NO-vyo/a]?

My [boyfriend / girlfriend] is out of town.
Mi [novio/a] está de viaje.
mee [NO-vyo/a] e-STA de VYA-he.

Rejection

I'm here with my [boyfriend / girlfriend].
Estoy aquí con mi novio/a.
e-STOY a-KEE kon mee NO-vyo/a.

I'm sorry, but I'm not interested.
Lo siento, pero no me interesas.
lo SYEN-to, pe-ro no me een-te-RE-sas.

You're just not my type.
No eres mi tipo.
no E-res mee TEE-po.

Please leave me alone.
Déjame en paz, por favor.
DE-ha-me en pas, por fa-VOR.

Get away from me!
¡Sal de aquí!
isal de a-KEE!

Security!
¡Seguridad!
ise-goo-ree-DAD!

Are you gay?
¿Eres gay?
¿E-res gay?

I'm gay.
Soy gay.
soy gay.

PAIRING UP

I'm straight.
Soy heterosexual.
soy e-te-ro-seks-WAL.

It's a pity you aren't gay.
Es una lástima que no seas gay.
es oo-na LA-stee-ma ke no SE-as gay.

I'm bisexual.
Soy bisexual.
soy bee-seks-WAL.

I'm transgendered.
Soy transexual.
soy tran-seks-WAL.

I used to be a [man / woman]!
¡Antes era hombre / mujer!
¡AN-tes e-ra OM-bre / moo-HER!

Love at First Sight

Can I stay over?
¿Puedo pasar la noche contigo?
¿PWE-do pa-SAR la NO-che kon-TEE-go?

I want you to stay over.
Quiero pasar la noche contigo.
KYER-o pa-SAR la NO-che kon-TEE-go.

Let's spend the night together.
Pasemos la noche juntos.
pa-SE-mos la NO-che HOON-tos.

We can watch the sun rise.
Podemos mirar la salida del sol.
po-DE-mos mee-RAR la sa-LEE-da del sol.

Kiss me.
Bésame.
BE-sa-me.

It's better if you go home.
Es mejor que vuelvas a tu casa.
es me-HOR ke VWEL-vas a too KA-sa.

I'd better go.
Debo irme.
DE-bo EER-me.

I think we should stop.
Creo que debemos parar.
KRE-o ke de-BE-mos pa-RAR.

I have to go home now.
Tengo que ir a casa ahora.
TEN-go ke EER a KA-sa a-O-ra.

I had a great time.
Lo he pasado de maravilla.
lo e pa-SA-do de ma-ra-VEE-ya.

Thanks for a lovely evening.
Gracias por una noche preciosa.
GRA-syas por oo-na NO-che pre-SYO-sa.

Here's my number.
Aquí tienes mi número de teléfono.
a-KEE TYEN-es mee NOO-me-ro de te-LE-fo-no.

I'm here for [three] more days.
Estoy aquí [tres] días más.
e-STOY a-KEE [tres] DEE-as mas.

Can we meet tomorrow?
¿Podemos vernos mañana?
¿po-DE-mos VER-nos ma-NYA-na?

Can I see you again?
¿Te puedo ver otra vez?
¿te PWE-do ver o-tra ves?

When can I see you?
¿Cuándo puedo verte?
¿KWAN-do PWE-do VER-te?

Where do you want to meet?
¿Dónde quieres encontrarnos?
¿DON-de KYER-es en-kon-TRAR-nos?

Are you seeing someone else?
¿Sales con otro/a?
¿SA-les kon O-tro/a?

He's / she's just a friend.
Es sólo un amigo. / una amiga.
es SO-lo oon a-MEE-go. / oo-na a-MEE-ga.

I think we should just be friends.
Creo que sólo debemos ser amigos.
KRE-o ke SO-lo de-BE-mos ser a-MEE-gos.

I love you!
¡Te amo!
¡te A-mo!

I'm in love with you!
¡Estoy enamorado/a de ti!
¡e-STOY e-na-mo-RA-do/a de tee!

You should come visit me.
Debes visitarme.
DE-bes vee-see-TAR-me.

Let's become pen pals.
Hágamonos amigos de correspondencia.
A-ga-mo-nos a-MEE-gos de ko-re-spon-DEN-sya.

I promise to write you.
Prometo escribirte.
pro-ME-to e-skree-BEER-te.

What is your email?
¿Cuál es tu email?
¿kwal es too EE-meil?

I'll never forget you.
Nunca me olvidaré de ti.
NOON-ka me ol-vee-da-RE de tee.

Our time together has meant a lot to me.
El tiempo que hemos pasado juntos significa mucho para mí.
el TYEM-po ke E-mos pa-SA-dos HOON-tos seeg-ni-FI-ka MOO-cho PA-ra mee.

What was your name again?
¿Cómo es que te llamas?
¿KO-mo es ke te YA-mas?

8 Seeing the Sights

Sights

I'd like to see ...
Me gustaría ver ...
me goo-sta-REE-a ver ...

> **the museum.**
> el museo.
> *el moo-SE-o.*

> **the art gallery.**
> la galería de arte.
> *la ga-le-REE-a de AR-te.*

> **the palace.**
> el palacio.
> *el pa-LA-syo.*

> **the castle.**
> el castillo.
> *el ka-STEE-yo.*

> **the church.**
> la iglesia.
> *la ee-GLE-sya.*

> **the cathedral.**
> la catedral.
> *la ka-te-DRAL.*

the park.
el parque.
el PAR-ke.

the gardens.
los jardines.
los har-DEE-nes.

the zoo.
el zoo.
el zoo.

the ruins.
las ruinas.
las RWEE-nas.

the cemetery.
el cementerio.
el se-men-TER-yo.

some art.
arte.
AR-te.

some historical sites.
unos lugares históricos.
oo-nos loo-GA-res ee-STO-ree-kos.

the downtown area.
el centro.
el SEN-tro.

the historic district.
la zona histórica.
la SO-na ee-STO-ree-ka.

the shopping district.
la zona comercial.
la SO-na ko-mer-SYAL.

the red-light district.
la zona roja.
la SO-na RO-ha.

Do you have any ...
¿Tienen ...
¿TYEN-en ...

brochures?   folletos?   *fo-YE-tos?*

maps?   mapas?   *MA-pas?*

suggestions?   sugerencias?   *soo-he-REN-syas?*

I'd like to go on a ...
Me gustaría hacer una ...
me goo-sta-REE-a a-SER oo-na ...

walking tour.
gira a pie.
HEE-ra a pyeh.

guided tour.
gira guiada.
HEE-ra ghee-A-da.

bus tour.
gira en autobús.
HEE-ra en ow-to-BOOS.

boat tour.
gira en barco.
HEE-ra en BAR-ko.

Where can I hire a guide / translator?
¿Dónde puedo contratar a un guía / traductor?
¿DON-de PWE-do kon-tra-TAR a oon GHEE-a / tra-dook-TOR?

What's the nicest part of the city?
¿Cuál es la parte más linda de la ciudad?
¿kwal es la PAR-te mas LEEN-da de la syoo-DAD?

What's your favorite neighborhood?
¿Cuál es su vecindad preferida?
¿kwal es soo ve-seen-DAD pre-fe-REE-da?

Is this area safe?
¿Es esta zona segura?
¿es e-sta SO-na se-GOO-ra?

What should I see if I'm here only one day?
¿Qué debo ver si sólo estoy un día aquí?
¿ke DE-bo ver see SO-lo e-STOY oon DEE-a a-KEE?

Where's the best place to watch the sunset / sunrise?
¿Cuál es el mejor lugar para mirar la puesta / la salida del sol?
¿kwal es el me-HOR loo-GAR pa-ra mee-RAR la PWE-sta / la sa-LEE-da del sol?

Calling Ahead

Where does the tour start?
¿Dónde empieza la gira?
¿DON-de em-PYES-a la HEE-ra?

What time does it start?
¿A qué hora empieza?
¿a ke O-ra em-PYES-a?

How long is it?
¿Cuánto tiempo dura?
¿KWAN-to TYEM-po DOO-ra?

What stops does it make?
¿Cuáles son las paradas?
¿KWA-les son las pa-RA-das?

Do I have to reserve a spot?
¿Tengo que reservar un sitio?
¿TEN-go ke re-ser-VAR oon SEE-tyo?

When are you open?
¿Cuándo está abierto?
¿KWAN-do e-STA a-BYER-to?

When do you close?
¿Cuándo cierra?
¿KWAN-do SYER-a?

What do you charge for admission?
¿Cuánto es la entrada?
¿KWAN-to es la en-TRA-da?

Is there a student discount?
¿Hay un descuento de estudiante?
¿ai oon des-KWEN-to de e-stoo-DYAN-te?

Is there a group discount?
¿Hay un descuento de grupo?
¿ai oon des-KWEN-to de GROO-po?

Cultural Stuff

Let's go to ...
Vamos ...
VA-mos ...

the theater.
al teatro.
al te-A-tro.

the movies.
al cine.
al SEE-ne.

a show.
a un espectáculo.
a oon e-spek-TA-koo-lo.

a concert.
a un concierto.
a oon kon-SYER-to.

the opera.
a la ópera.
a la O-pe-ra.

an exhibit.
a una exposición.
a oo-na ex-po-see-SYON.

a soccer game.
a un partido de fútbol.
a oon par-TEE-do de FOOT-bol.

a bullfight.
a una corrida de toros.
a oo-na ko-REE-da de TO-ros.

Where's the movie playing?
¿Dónde dan la película?
¿DON-de dan la pe-LEE-koo-la?

What time does the show start?
¿A qué hora empieza el espectáculo?
¿a ke O-ra em-PYES-a el e-spek-TA-koo-lo?

How much are the tickets?
¿Cuánto cuestan las entradas?
¿KWAN-to KWE-stan las en-TRA-das?

Do you have any tickets left for tonight?
¿Quedan entradas para esta noche?
¿KE-dan en-TRA-das pa-ra e-sta NO-che?

Is tonight's performance sold out?
¿Están agotadas las entradas para la actuación
de esta noche?
*¿e-STAN a-go-TA-das las en-TRA-das pa-ra la ak-twa-SYON
de e-sta NO-che?*

Money

I want to go shopping.
Quiero ir de compras.
KYER-o eer de KOM-pras.

Where can I change money?
¿Dónde puedo cambiar dinero?
¿DON-de PWE-do kam-BYAR dee-NE-ro?

What's the exchange rate?
¿A cuánto está el cambio?
¿a KWAN-to e-STA el KAM-byo?

Is there a(n) ... around here?
¿Hay ... por aquí?
¿ai ... por a-KEE?

> **bank**
> un banco
> *oon BAN-ko*

> **ATM**
> un cajero automático
> *oon ka-HE-ro ow-to-MA-tee-ko*

> **store**
> una tienda
> *oo-na TYEN-da*

market
un mercado
oon mer-KA-do

mall
un centro comercial
oon SEN-tro ko-mer-SYAL

department store
un almacén
oon al-ma-SEN

grocery store
una tienda de comestibles
oo-na TYEN-da de ko-me-STEE-bles

supermarket
un supermercado
oon soo-per-mer-KA-do

drugstore / pharmacy
una farmacia
oo-na far-MA-sya

bookstore
una librería
oo-na lee-bre-REE-a

souvenir shop
una tienda de recuerdos
oo-na TYEN-da de re-KWER-dos

casino
un casino
oon ka-SEE-no

At the Store

I need to buy ...
Necesito comprar ...
ne-se-SEE-to kom-PRAR ...

Do you sell ... ?
¿Venden ... ?
¿VEN-den ... ?

I'm looking for ...
Busco ...
BOO-sko ...

clothes.	ropa.	*RO-pa.*
souvenirs.	recuerdos.	*re-KWER-dos.*
postcards.	tarjetas postales.	*tar-HE-tas po-STA-les.*
stamps.	sellos.	*SE-yos.*
a map.	un mapa.	*oon MA-pa.*
a guidebook.	una guía.	*oo-na GHEE-a.*
an umbrella.	un paraguas.	*oon pa-RA-gwas.*

9

GOING BROKE

I need a gift for ...
Necesito un regalo para ...
ne-se-SEE-to oon re-GA-lo pa-ra ...

my friend.
mi amigo/a.
mee a-MEE-go/a.

my parents.
mis padres.
mees PA-dres.

my brother / sister.
mi hermano/a.
mee er-MA-no/a.

my boyfriend / girlfriend.
mi novio/a.
mee NO-vyo/a.

Can you suggest anything?
¿Puede usted recomendar algo?
¿PWE-de oo-STED re-ko-men-DAR AL-go?

I'm just browsing, thanks.
Sólo estoy mirando, gracias.
SO-lo e-STOY mee-RAN-do, GRA-syas.

That's ...
Es ...
es ...

nice.	lindo/a.	*LEEN-do/a.*
perfect.	perfecto/a.	*per-FEK-to/a.*
beautiful.	hermoso/a.	*er-MO-so/a.*
lovely.	precioso/a.	*pre-SYO-so/a.*
ugly.	feo/a.	*FE-o/a.*
hideous.	espantoso/a.	*e-span-TO-so/a.*
divine.	divino/a.	*dee-VEE-no/a.*

I like it.
Me gusta.
me GOO-sta.

I don't like it.
No me gusta.
no me GOO-sta.

Is it handmade?
¿Está hecho a mano?
¿e-STA E-cho a MA-no?

Can I try it on?
¿Me lo puedo probar?
¿me lo PWE-do pro-BAR?

How does this look?
¿Qué te parece?
¿ke te pa-RE-se?

It doesn't look good on me.
No me queda bien.
no me KE-da byen.

It doesn't fit me.
No me queda bueno.
no me KE-da BWE-no.

Do you have something ...
¿Tiene algo ...
¿TYEN-e al-go ...

> **cheaper.**
> más barato.
> *mas ba-RA-to.*

> **fancier.**
> más elegante.
> *mas e-le-GAN-te.*

in a larger size.
de una talla más grande.
de oo-na TA-ya mas GRAN-de.

in a smaller size.
de una talla más pequeña.
de oo-na TA-ya mas pe-KE-nya.

in a different color.
de un color diferente.
de oon ko-LOR dee-fe-REN-te.

Is anything on sale?
¿Hay algo rebajado?
¿ai AL-go re-ba-HA-do?

Haggling

How much does this cost?
¿Cuánto cuesta esto?
¿KWAN-to KWE-sta E-sto?

That's ...
Es ...
es ...

a bargain.
una ganga.
oo-na GAN-ga.

too expensive.
demasiado caro.
de-ma-SYA-do KA-ro.

a complete ripoff.
un robo.
oon RO-bo.

Can I get a lower price?
¿Me puede rebajar el precio?
¿me PWE-de re-ba-HAR el PRE-syo?

I'll offer you half that.
Le doy la mitad.
le doy la mee-TAD.

Paying

I have cash.
Tengo efectivo.
TEN-go e-fek-TEE-vo.

I don't have change.
No tengo cambio.
no TEN-go KAM-byo.

Do you take ...
¿Se aceptan ...
¿se a-SEP-tan ...

> #### credit cards?
> tarjetas de crédito?
> *tar-HE-tas de KRE-dee-to?*

> #### checks?
> cheques?
> *CHE-kes?*

> #### traveler's checks?
> cheques de viajero?
> *CHE-kes de vya-HE-ro?*

Can you wrap it for me?
¿Me lo puede envolver?
¿me lo PWE-de en-vol-VER?

Can I get it shipped home?
¿Me lo puede enviar a casa?
¿me lo PWE-de en-VYAR a KA-sa?

Can I get it delivered?
¿Me lo puede entregar?
¿me lo PWE-de en-tre-GAR?

The address is _____.
La dirección es _____.
la dee-rek-SYON es _____.

I need to return this.
Necesito devolver esto.
ne-se-SEE-to de-vol-VER e-sto.

Doing Nothing

What do you feel like doing?
¿Qué quieres hacer?
¿ke KYER-es a-SER?

Do you play ...
¿Juegas ...
¿HWE-gas ...

    cards?   a las cartas?   *a las KAR-tas?*

    checkers?   a las damas?   *a las DA-mas?*

    chess?   al ajedrez?   *al a-he-DRES?*

I win.
Gano yo.
GA-no yo.

You lose.
Pierdes tú.
PYER-des too.

Let's play again.
Juguemos otra vez.
hoo-GHE-mos o-tra ves.

This is fun.
Qué divertido.
ke dee-ver-TEE-do.

You're learning fast.
Aprendes rápido.
a-PREN-des RA-pee-do.

You suck at this.
Juegas malísimo.
HWE-gas ma-LEE-see-mo.

I just want to ...
Sólo quiero ...
SO-lo KYER-o ...

> **stay in.**
> quedarme en casa.
> *ke-DAR-me en KA-sa.*
>
> **relax.**
> relajarme.
> *re-la-HAR-me.*

> **sit at a café.**
> sentarme en un café.
> *sen-TAR-me en oon ka-FE.*
>
> **go read somewhere.**
> ir a algún lugar a leer.
> *eer a al-GOON loo-GAR a le-ER.*
>
> **go for a walk.**
> dar una vuelta.
> *dar oo-na VWEL-ta.*

The Beach

Let's go to the beach.
Vamos a la playa.
VA-mos a la PLAI-a.

Where can I buy ...
¿Dónde puedo comprar ...
¿DON-de PWE-do kom-PRAR ...

a beach towel?
una toalla de playa?
oo-na TWA-ya de PLAI-a?

a beach chair?
una silla de playa?
oo-na SEE-ya de PLAI-a?

a beach umbrella?
una sombrilla?
oo-na som-BREE-ya?

a swimsuit?
un traje de baño?
oon TRA-he de BA-nyo?

flip-flops?
chanclas?
CHAN-klas?

sunscreen?
bloqueador solar?
blo-ke-a-DOR so-LAR?

trashy novels?
novelas rosas?
no-VE-las RO-sas?

I need to put on sunscreen.
Necesito ponerme bloqueador solar.
ne-se-SEE-to po-NER-me blo-ke-a-DOR so-LAR.

Am I getting burned?
¿Me estoy quemando?
¿me e-STOY ke-MAN-do?

You're getting burned.
Te estás quemando.
te e-STAS ke-MAN-do.

You're ...
Estás ...
e-STAS ...

tan.
bronceado/a.
bron-se-A-do.

sunburned.
quemado/a.
ke-MA-do.

really white.
muy blanco/a.
mooy BLAN-ko.

Can you swim here?
¿Se puede nadar aquí?
¿se PWE-de na-DAR a-KEE?

Is there a lifeguard?
¿Hay salvavidas?
¿ai sal-va-VEE-das?

How deep is the water?
¿Cuánto de profundidad tiene el agua?
¿KWAN-to de pro-foon-dee-DAD TYEN-e el A-gwa?

Let's go swimming.
Vamos a nadar.
VA-mos a na-DAR.

Come on in.
Ven.
ven.

~~~~~~~~~~~~~~~~~~~~~~~~~~~~~~~~~~~~

The water's ...
El agua está ...
el A-gwa e-STA ...

great.
fantástica.
fan-TA-stee-ka.

warm.
tibia.
TEE-bya.

cold.
fría.
FREE-a.

shallow.
poco profunda.
PO-ko pro-FOON-da.

deep.
profunda.
pro-FOON-da.

rough.
agitada.
a-hee-TA-da.

full of jellyfish.
llena de medusas.
YE-na de me-DOO-sas.

teeming with sharks.
repleta de tiburones.
re-PLE-ta de tee-boo-RO-nes.

Don't swim out too far.
No nades demasiado lejos.
no NA-des de-ma-SYA-do LE-hos.

Where's the nude beach?
¿Dónde está la playa nudista?
¿DON-de e-STA la PLAI-a noo-DEE-sta?

Let's go ...
Vamos ...
VA-mos ...

> #### snorkeling.
> a bucear.
> *a boo-se-AR.*
>
> #### scuba diving.
> a hacer submarinismo.
> *a a-SER soob-ma-ree-NEE-smo.*
>
> #### fishing.
> de pesca.
> *de PE-ska.*
>
> #### rent a boat.
> a alquilar un bote.
> *a al-kee-LAR oon BO-te.*
>
> #### rent a Jet Ski.
> a alquilar un Jet Ski.
> *a al-kee-LAR oon jet skee.*

Where is the ...
¿Dónde está ...
¿DON-de e-STA ...

> #### dock?
> el muelle?
> *el MWE-ye?*

dive shop?
la tienda de buceo?
le TYEN-da de boo-SE-o?

marina?
el puerto deportivo?
el PWER-to de-por-TEE-vo?

~~~~~~~~~~~~~~~~~~~~~~~~~~~~

Can I rent ... here?
¿Se puede alquilar ... aquí?
¿se PWE-de al-kee-LAR ... a-KEE?

equipment
artículos deportivos
ar-TEE-koo-los de-por-TEE-vos

wet suit
un traje de neopreno
oon TRA-he de ne-o-PRE-no

goggles
gafas de buceo
GA-fas de boo-SE-o

Sports

Do you like to ...
¿Te gusta ...
¿te GOO-sta ...

play sports?
practicar deportes?
prak-tee-KAR de-POR-tes?

play soccer?
jugar al fútbol?
hoo-GAR al FOOT-bol?

play tennis?
jugar al tenis?
hoo-GAR al TE-nees?

play basketball?
jugar al baloncesto?
hoo-GAR al ba-lon-SE-sto?

play golf?
jugar al golf?
hoo-GAR al golf?

swim?
nadar?
na-DAR?

bike?
montar en bicicleta?
mon-TAR en bee-see-KLE-ta?

jog?
trotar?
tro-TAR?

ski?
esquiar?
e-skee-AR?

do yoga?
hacer yoga?
a-SER YO-ga?

go sailing?
practicar la vela?
prak-tee-KAR la VE-la?

go skating?
patinar?
pa-tee-NAR?

go diving?
dar clavados?
dar cla-VA-dos?

go horseback riding?
montar a caballo?
mon-TAR a ka-BA-yo?

I'm not very good at this.
No hago esto muy bien.
no A-go e-sto mooy byen.

You're great at this!
¡Haces esto muy bien!
¡A-ses e-sto mooy byen!

Let's race to the end.
Te echo una carrera hasta el fin.
te E-cho oo-na ka-RE-ra A-sta el feen.

This is fun.
Esto es divertido.
e-sto es dee-ver-TEE-do.

I'm tired.
Estoy cansado/a.
e-STOY kan-SA-do/a.

I'd like to go to the gym.
Me gustaría ir al gimnasio.
me goo-sta-REE-a eer al heem-NA-syo.

Is there a gym around here?
¿Hay un gimnasio por aquí?
¿ai oon heem-NA-syo por a-KEE?

Do you have ...
¿Tienen ...
¿TYEN-en ...

> **free weights?**
> pesas?
> *PE-sas?*

> **cardio equipment?**
> máquinas cardiovasculares?
> *MA-kee-nas kar-dyo-vas-koo-LA-res?*

a pool?
una piscina?
oo-na pee-SEE-na?

a sauna?
una sauna?
oo-na SOW-na?

a treadmill?
una cinta?
oo-na SEEN-ta?

stair machines?
máquinas de step?
MA-kee-nas de step?

aerobics?
clases aeróbicas?
KLA-ses ai-RO-bee-kas?

personal trainers?
entrenadores particulares?
en-tre-na-DO-res par-tee-koo-LA-res?

classes?
clases?
KLA-ses?

How much is a ... pass?
¿Cuánto es un abono de ...
¿KWAN-to es oon a-BO-no de ...

day	un día?	*oon DEE-a?*
week	una semana?	*oo-na se-MA-na?*
month	un mes?	*oon mes?*
year	un año?	*oon A-nyo?*

Renting a Car

Where can I rent a car?
¿Dónde puedo alquilar un coche?
¿DON-de PWE-do al-kee-LAR oon KO-che?

What's the daily rate?
¿Cuánto cuesta por día?
¿KWAN-to KWE-sta por DEE-a?

How much is the insurance?
¿Cuánto cuesta el seguro?
¿KWAN-to KWE-sta el se-GOO-ro?

Here's my license.
Aquí tiene mi licencia.
a-KEE TYEN-e mee lee-SEN-sya.

There's a dent in it.
Tiene una abolladura.
TYEN-e oo-na a-bo-ya-DOO-ra.

The paint is scratched.
La pintura tiene un rasguño.
la PEEN-too-ra TYEN-e oon ras-GOO-nyo.

Where can I buy gas?
¿Dónde puedo comprar gasolina?
¿DON-de PWE-do kom-PRAR ga-so-LEE-na?

stop	alto	*AL-to*
yield	ceder el paso	*se-DER el PA-so*
one-way	sentido único	*sen-TEE-do OO-nee-ko*
detour	desvío	*des-VEE-o*
toll	peaje	*pe-A-he*
parking	estacionamiento	*e-sta-syo-na-MYEN-to*

The Outdoors

Do you know good places for ...
¿Conoces un buen sitio para ...
¿ko-NO-ses oon bwen SEE-tyo pa-ra ...

hiking?
hacer una caminata?
a-SER oo-na ca-mee-NA-ta?

mountain biking?
montar en bicicleta en la montaña?
mon-TAR en bee-see-KLE-ta en la mon-TA-nya?

rock climbing?
hacer una escalada en roca?
a-SER oo-na es-ka-LA-da en RO-ka?

seeing animals?
ver animales?
ver a-nee-MA-les?

I need to rent ...
Necesito alquilar ...
ne-se-SEE-to al-kee-LAR ...

a tent.
una tienda de campaña.
oo-na TYEN-da de kam-PA-nya.

a sleeping bag.
un saco de dormir.
oon SA-ko de dor-MEER.

hiking boots.
botas de caminar.
bo-TAS de ca-mee-NAR.

a flashlight.
una linterna.
oo-na leen-TER-na.

a backpack.
una mochila.
oo-na mo-CHEE-la.

a mountain bike.
una bicicleta de montaña.
oo-na bee-see-KLE-ta de mon-TA-nya.

a canteen.
una cantimplora.
oo-na kan-teem-PLO-ra.

Do you have trail maps?
¿Tienen planos de senderos?
¿TYEN-en PLA-nos de sen-DE-ros?

Is this trail ...
¿Es este sendero ...
¿es e-ste sen-DE-ro ...

hard?	difícil?	*dee-FEE-seel?*
easy?	fácil?	*FA-seel?*
hilly?	accidentado?	*ak-see-den-TA-do?*
flat?	plano?	*PLA-no?*
well-marked?	bien señalado?	*byen se-nya-LA-do?*
scenic?	pintoresco?	*peen-to-RE-sko?*
long?	largo?	*LAR-go?*
short?	corto?	*KOR-to?*
grueling?	agotador?	*a-go-ta-DOR?*

Is the water safe to drink?
¿Se puede beber el agua?
¿se PWE-de be-BER el A-gwa?

What's the weather supposed to be like ...
¿Cómo estará el tiempo ...
¿KO-mo e-sta-RA el TYEM-po ...

today?
hoy?
oy?

tomorrow?
mañana?
ma-NYA-na?

this week?
esta semana?
e-sta se-MA-na?

this weekend?
este fin de semana?
e-ste feen de se-MA-na?

Is it supposed to ...
¿Dicen que va a ...
¿DEE-sen ke va a ...

rain?
llover?
yo-VER?

snow?
nevar?
ne-VAR?

storm?
haber una tormenta?
a-BER oo-na tor-MEN-ta?

get cold?
hacer más frío?
a-SER mas FREE-o?

get hot?
hacer más calor?
a-SER mas ka-LOR?

get below freezing?
bajar bajo cero?
ba-HAR BA-ho SE-ro?

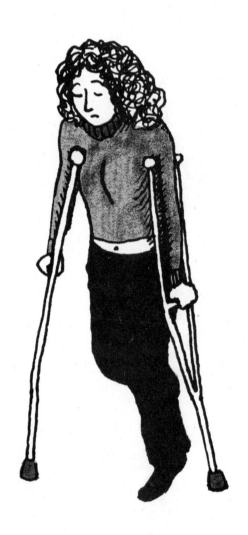

Staying Healthy

11

Ailments

I don't feel well.
No me siento bien.
no me SYEN-to byen.

~~~~~~~~~~~~~~~~~~~~~~~~

My ... hurts. / I have a ... ache.
Me duele(n) ...
me DWE-le(n) ...

head	la cabeza.	*la ka-BE-sa.*
stomach	el estómago.	*el e-STO-ma-go.*
throat	la garganta.	*la gar-GAN-ta.*
ear	el oído.	*el o-EE-do.*
tooth	el diente.	*el DYEN-te.*
neck	el cuello.	*el KWE-yo.*
back	la espalda.	*la e-SPAL-da.*
feet	los pies.	*los pyess.*

~~~~~~~~~~~~~~~~~~~~~~~~

That hurts.
Hace daño.
A-se DA-nyo.

I have pain here.
Me duele aquí.
me DWE-le a-KEE.

I feel ...
Me siento ...
me SYEN-to ...

better.	mejor.	*me-HOR.*
worse.	peor.	*pe-OR.*
weird.	raro/a.	*RA-ro/a.*

I feel nauseous.
Siento náuseas.
SYEN-to NOW-se-as.

I feel hung over.
Tengo resaca.
TEN-go re-SA-ka.

I feel dizzy / faint.
Estoy mareado/a.
e-STOY ma-re-A-do/a.

~~~~~~

I have ...
Tengo ...
TEN-go ...

a cold.	resfriado.	*res-free-A-do.*
a fever.	fiebre.	*FYEB-re.*
chills.	escalofríos.	*e-ska-lo-FREE-os.*
diarrhea.	diarrea.	*dee-a-RE-a.*

~~~~~~

I threw up.
He vomitado.
e vo-mee-TA-do.

~~~~~~

I think I broke ...
Creo que se me quebró ...
KRE-o ke se me ke-BRO ...

my arm.
el brazo.
el BRA-so.

my finger.
el dedo.
el DE-do.

my wrist.
la muñeca.
la moo-NYE-ka.

my toe.
el dedo del pie.
el DE-do del pyeh.

my ankle.
el tobillo.
el to-BEE-yo.

my foot.
el pie.
el pyeh.

my leg.
la pierna.
la PYER-na.

my rib.
la costilla.
la ko-STEE-ya.

my collarbone.
la clavícula.
la kla-VEE-koo-la.

Is it broken?
¿Está roto/a?
¿e-STA RO-to?

Is it infected?
¿Está infectado/a?
¿e-STA een-fek-TA-do?

Medicine and Prescriptions

I ran out of medicine.
Se me acabó la medicina.
se me a-ka-BO la me-dee-SEE-na.

I need a refill.
Necesito otra receta.
ne-se-SEE-to o-tra re-SE-ta.

I need a new prescription.
Necesito una receta nueva.
ne-se-SEE-to oo-na re-SE-ta NWE-va.

I'm allergic ...
Soy alérgico/a ...
soy a-LER-hee-ko ...

> **to ibuprofen.**
> al ibuprofeno.
> *al ee-boo-pro-FE-no.*

> **to penicillin.**
> a la penicilina.
> *a la pe-nee-see-LEE-na.*

> **to aspirin.**
> a la aspirina.
> *a la a-spee-REE-na.*

> **to bee stings.**
> a las picaduras de abeja.
> *a las pee-ka-DOO-ras de a-BE-ha.*

> **to nuts.**
> a las nueces.
> *a las NWE-ses.*

I'm diabetic.
Soy diabético.
soy dya-BE-tee-ko.

I have asthma.
Tengo asma.
TEN-go A-sma.

Toiletries

I need to buy ...
Necesito comprar ...
ne-se-SEE-to kom-PRAR ...

> **Band-Aids.**
> curitas.
> *koo-REE-tas.*

> **sun tan lotion.**
> bronceador.
> *bron-se-a-DOR.*

> **toothpaste.**
> pasta de dientes.
> *PA-sta de DYEN-tes.*

> **a toothbrush.**
> un cepillo de dientes.
> *oon se-PEE-yo de DYEN-tes.*

> **a razor.**
> una navaja de afeitar.
> *oo-na na-VA-ha de a-fey-TAR.*

> **shaving cream.**
> crema de afeitar.
> *KRE-ma de a-fey-TAR.*

> **makeup.**
> maquillaje.
> *ma-kee-YA-he.*

tampons.
tampones.
tam-PO-nes.

a hairbrush.
un cepillo.
oon se-PEE-yo.

new glasses.
nuevas gafas.
NWE-vas GA-fas.

new contact lenses.
nuevos lentes.
NWE-vos LEN-tes.

contact lens solution.
solución salina.
so-loo-SYON sa-LEE-na.

Emergencies

Help!
¡Socorro!
¡so-KO-ro!

Go away!
¡Vete!
¡VE-te!

Leave me alone!
¡Déjame en paz!
¡DE-ha-me en pas!

Thief!
¡Ladrón!
¡la-DRON!

It's an emergency.
Es una situación de emergencia.
es oo-na see-twa-SYON de e-mer-HEN-sya.

Call the police!
¡Llama a la policía!
¡YA-ma a la po-lee-SEE-a!

Call an ambulance!
¡Llama a una ambulancia!
¡YA-ma a oo-na am-boo-LAN-sya!

Call a doctor!
¡Llama a un médico!
¡YA-ma a oon ME-dee-ko!

I need help.
Necesito ayuda.
ne-se-SEE-to a-YOO-da.

I'm lost.
Estoy perdido/a.
e-STOY per-DEE-do/a.

Crime

I was mugged.
Me han atracado.
me an a-tra-KA-do.

I was assaulted.
Me han atacado.
me an a-ta-KA-do.

I lost ... / Someone stole ...
He perdido ... / Alguien ha robado ...
e per-DEE-do ... / al-GHYEN a ro-BA-do ...

> **my passport.**
> mi pasaporte.
> *mee pa-sa-POR-te.*

my wallet.
mi cartera.
mee kar-TE-ra.

my purse.
mi bolso.
mee BOL-so.

my camera.
mi cámara.
mee KA-ma-ra.

my cell phone.
mi teléfono celular.
mee te-LE-fo-no se-loo-LAR.

my laptop.
mi computadora portátil.
mee com-poo-ta-DO-ra por-TA-teel.

my glasses.
mis gafas.
mees GA-fas.

my luggage.
mi equipaje.
mee e-kee-PA-he.

my backpack.
mi mochila.
mee mo-CHEE-la.

my tour group.
mi grupo turístico.
mee GROO-po too-REE-stee-ko.

my mind.
la razón.
la ra-SON.

my virginity.
la virginidad.
la veer-hee-nee-DAD.

Grammar in Five Minutes

Pronouns

Here are some of the most important words you'll need for Spanish: the **personal pronouns**.

SINGULAR		PLURAL	
I	yo	**we**	nosotros
you (informal)	tú	**you** (informal)	vosotros
you (formal)	usted	**you** (formal)	ustedes
he	él	**they** (all men/mixed group)	ellos
she	ella	**they** (all women)	ellas

Politeness and Formality

Spanish speakers distinguish between **formal and informal forms of "you"** when addressing different people. To be on the safe side, use tú only when speaking with close friends or with children. Use usted when addressing anyone else, especially if they're older than you.

Gender

One thing about Spanish that always throws English speakers for a loop: **all Spanish nouns have a gender.** Often, there's no logic behind this system: what makes a book (un libro) a "he" and a table (una mesa) a "she" is anyone's guess.

Not only are nouns gendered, but any **adjectives** that describe nouns are gendered as well. An old book is un libro viejo, but an old table is una mesa vieja. You'll still get your point across even if you make mistakes with this, so don't worry about it too much.

Adjectives After Nouns

As you saw with un libro viejo, **adjectives in Spanish come after the noun.** This is the opposite of English—we say "the old book," not "the book old." Although there are a few oddball adjectives in Spanish that often come before the noun, this noun-then-adjective rule is nearly universal.

Five Essential Verbs in the Present Tense

All Spanish verbs are **conjugated**—modified slightly in form to reflect who's performing the action of the verb. English verbs are conjugated too—the verb "to be" changes to "I am," "you are," "he is," etc.—but our system is much less complex. Here are five essential Spanish verbs, conjugated fully in the present tense. If you can memorize these, you'll be at a huge advantage.

to be – ser

SINGULAR		PLURAL	
yo	soy	nosotros	somos
tú	eres	vosotros	sois
él/ella/usted	es	ellos/ellas/ustedes	son

to have – tener

yo	tengo	nosotros	tenemos
tú	tienes	vosotros	tenéis
él/ella/usted	tiene	ellos/ellas/ustedes	tienen

to do, to make – hacer

yo	hago	nosotros	hacemos
tú	haces	vosotros	hacéis
él/ella/usted	hace	ellos/ellas/ustedes	hacen

to want – querer

yo	quiero	nosotros	queremos
tú	quieres	vosotros	queréis
él/ella/usted	quiere	ellos/ellas/ustedes	quieren

to go – ir

yo	voy	nosotros	vamos
tú	vas	vosotros	vais
él/ella/usted	va	ellos/ellas/ustedes	van

Acknowledgments

Special thanks to our writer, Tracy Van Bishop, who contributed enormously both to this project and many other titles in our Spanish line.

Super special thanks to our illustrator, Frank Webster, who took time out from traveling the globe in his private dirigible, *The Princess Calliope*, to supply the wonderful illustrations on the cover and throughout this book.